3,00

LEIGH NICHOLS

L'antre du tonnerre

TRADUIT DE L'AMÉRICAIN
PAR JEAN-PIERRE PUGI

D0682164

ÉDITIONS J'AI LU

Ce roman est dédié à
Marty Asher,
pour son calme et son soutien indéfectibles.

Ce roman a paru sous le titre original :

THE HOUSE OF THUNDER

© Leigh Nichols, 1982

Pour la traduction française :
© Éditions J'ai lu, 1986

PREMIÈRE PARTIE

L'éveil de la terreur...

1

Lorsqu'elle ouvrit les yeux, elle crut avoir perdu la vue. Elle ne pouvait distinguer, dans une pénombre pourpre, que des formes vagues, imprécises et menaçantes qui s'agitaient parmi les ombres. Elle n'eut pas le temps de céder à la panique : tout se fondit en un pâle halo qui devint à son tour un plafond de dalles blanches.

Une odeur de draps propres, d'antiseptiques et d'alcool monta à ses narines.

Elle tourna la tête et une douleur lancinante lui déchira le front. Lorsqu'elle recouvra la vision, elle découvrit qu'elle se trouvait dans une chambre d'hôpital.

Elle ne pouvait se souvenir de son admission, du nom de l'établissement, ni même de la ville où il se trouvait.

Que m'arrive-t-il ?

Elle leva un bras faible et porta la main à son front. Elle toucha un pansement qui en couvrait la moitié. Ses cheveux étaient coupés. Ne les avait-elle pas portés très longs ?

L'épuisement la contraignit à ramener son bras droit. Le gauche était immobilisé et piqué d'une aiguille. Elle était sous perfusion : une potence chromée à laquelle pendait une bouteille de sérum se dressait à côté du lit.

Elle étudia la pièce : plafond et murs blancs, sol carrelé de vert, rideaux jaune pâle encadrant une large fenêtre au-delà de laquelle elle voyait des conifères sous un ciel nuageux. L'autre lit était inoccupé, elle était seule dans cette chambre.

Elle eut conscience d'ignorer son nom, son âge et son passé.

Elle tenta de forcer en vain le mur derrière lequel ses souvenirs étaient tapis. Telle une fleur gelée qui s'épanouit, la peur ouvrait ses pétales froids au creux de son estomac.

Amnésie. Lésion cérébrale.

Ces mots redoutables eurent dans son esprit l'impact d'un coup de marteau. Elle avait dû avoir un accident, et être gravement blessée à la tête. Elle envisagea la possibilité de troubles mentaux permanents et frissonna.

Brusquement, son nom lui revint à l'esprit : Susan, Susan Thorton. Et elle avait trente-deux ans.

Mais elle ne parvenait pas à se remémorer autre chose. Où avait-elle vécu ? Quel était son métier ? Avait-elle un mari, des enfants ? Quel genre de musique aimait-elle ? Elle ne put trouver aucune réponse à ces questions, qu'elles fussent capitales ou sans importance.

La peur accéléra les battements de son cœur. Puis elle fut soulagée de se rappeler qu'elle s'était rendue dans l'Oregon pour les vacances. Si elle ignorait toujours d'où elle était venue, au moins savait-elle où elle se trouvait. Elle revit une jolie route de montagne, avec tous les détails du paysage. Elle traversait une forêt de pins, non loin de la mer, et écoutait la radio par une matinée ensoleillée. Elle venait de laisser derrière elle un village endormi aux maisons de pierre et de bois; elle avait dépassé deux semi-remorques chargés de troncs d'arbres, et puis... et puis...

Rien. Ensuite, il y avait son réveil dans cet hôpital.

— Parfait, parfait. Comment vous sentez-vous ?

Susan tourna la tête vers l'origine de la voix. La douleur lui fit perdre à nouveau le sens de la vision.

— Vous êtes pâle. Mais ce n'est pas étonnant, après ce qui vous est arrivé.

La voix appartenait à une infirmière qui venait d'entrer et s'approchait du lit. Une femme grisonnante et rondelette, aux yeux marron et au large sourire. Des lunettes cerclées de métal se balançaient sur sa poitrine, retenues par une chaînette.

Susan tenta de répondre. Elle n'y parvint pas.

L'effort n'était guère important mais elle crut sombrer dans l'inconscience. Sa faiblesse la terrorisa.

— Je savais que vous reprendriez connaissance, déclara l'infirmière tout en pressant le bouton d'appel à la tête du lit.

Susan essaya encore de parler et ne put qu'émettre un borborygme avant de se demander si l'usage de la parole lui reviendrait un jour. Il existait des cas de mutisme dus à des lésions cérébrales, n'est-ce pas? *N'est-ce pas?*

Un tambour battait sous son crâne. Elle avait l'impression de se trouver sur un manège qui tournait de plus en plus vite, jusqu'au vertige.

L'infirmière dut noter la panique dans son regard car elle lui déclara :

— Calmez-vous, calmez-vous. Vous n'êtes plus en danger.

Elle vérifia le débit de la perfusion et prit le pouls de Susan.

Mon Dieu! pensa cette dernière. Si je ne peux pas parler, je suis peut-être également privée de l'usage de mes jambes.

Elle voulut les bouger, sous les draps. Elle ne les sentait même pas; elles étaient encore plus lourdes et plus engourdies que ses bras.

L'infirmière lâcha son poignet. Susan parvint à agripper sa manche et tenta désespérément de parler.

— Prenez votre temps, lui dit la femme avec douceur.

Mais Susan savait que le temps pressait, qu'elle allait sombrer à nouveau dans l'inconscience. La douleur lancinante qui torturait son cerveau s'accompagnait d'un anneau d'obscurité, comme un diaphragme qui se serait lentement refermé.

Un médecin en blouse blanche entra dans la chambre. Elle put noter qu'il s'agissait d'un homme trapu, à l'expression sévère, qui devait avoir une cinquantaine d'années.

Susan l'implora du regard et lui demanda : *Mes jambes sont-elles paralysées ?*

Elle crut un instant avoir posé cette question à voix haute, puis comprit qu'elle était toujours muette. Le cercle noir avait à présent réduit son champ de vision à un simple point.

Les ténèbres retombèrent.

Elle fit un cauchemar, un horrible cauchemar.

Pour la centième fois, elle rêva qu'elle gisait dans une mare de sang tiède, dans l'Antre du tonnerre.

2

Lorsqu'elle s'éveilla à nouveau, sa migraine avait disparu, ainsi que ses étourdissements et ses troubles de vision.

La nuit était tombée. Une veilleuse éclairait faiblement la chambre mais, au-delà de la fenêtre, elle ne voyait que l'obscurité.

La potence à perfusion avait disparu. Son bras décoloré et marqué de piqûres reposait sur le drap.

Elle tourna la tête et vit l'homme trapu à l'expression sévère près du lit. Il la tenait sous son regard et ses yeux marron exprimaient une étrange menace, comme s'ils cherchaient à pénétrer ses secrets.

— Que... m'est-il... arrivé ? s'enquit-elle.

Elle pouvait parler. Sa voix était faible, enrouée et à peine audible, mais son accident ne l'avait pas rendue muette ainsi qu'elle l'avait craint.

— Où... où suis-je ?

Chaque syllabe lui écorchait la gorge.

Sans répondre, le médecin prit un boîtier de commande et pressa l'un de ses quatre boutons. La tête du lit se releva et Susan se retrouva assise. L'homme prit un verre, qu'il emplit à moitié d'eau.

— Buvez lentement, dit-il. Il y a longtemps que vous n'avez rien avalé.

Elle suivit ses instructions. L'eau était délicieuse et apaisait sa gorge irritée.

Lorsqu'elle eut terminé, il reprit le verre et le posa sur la table de chevet, puis il sortit une lampe de la poche de poitrine de sa blouse et étudia ses yeux.

Pendant qu'il poursuivait son examen, elle tenta de mouvoir ses jambes. Elles étaient faibles, molles et engourdies, mais elles lui obéirent. Elle n'était donc pas paralysée.

Le médecin rangea sa lampe et plaça sa main devant les yeux de Susan.

— Pouvez-vous la voir ?

— Bien sûr, fit-elle d'une voix toujours étranglée et chevrotante, mais à présent compréhensible.

— Combien de doigts sont levés ?

— Trois.

— Et à présent ?

— Deux.

Il hocha la tête et les plis qui striaient son front disparurent.

— Savez-vous quel est votre nom ?

— Oui, je suis Susan Thorton.

— Exact. Deuxième prénom ?

— Kathleen.

— Parfait. Votre âge ?

— Trente-deux ans.

— Parfait. Absolument parfait. Vous semblez avoir les idées claires.

Sa gorge était redevenue sèche et Susan se la racla avant de préciser :

— Mais c'est tout ce dont je me souviens.

Le front du médecin se plissa à nouveau.

— Que voulez-vous dire ?

— Eh bien, je ne sais plus où j'habite, quel est mon métier... et même si je suis mariée.

Il l'observa un instant, avant de répondre :

— Vous vivez à Newport Beach, en Californie.

Elle revit aussitôt sa maison : une villa de style espagnol au toit de tuiles rouges, aux murs de crépi blanc, entourée de palmiers. Mais elle ne parvenait à se remémorer ni le nom de la rue ni le numéro.

— Et vous travaillez pour la Milestone Corporation.

— Milestone ?

Un lointain souvenir papillota dans son esprit embrumé.

Le médecin la fixait.

— Que se passe-t-il, pourquoi me regardez-vous ainsi ?

Il cilla puis sourit avec un effort visible.

— Eh bien... il est naturel que je m'inquiète. Je veux savoir contre quoi nous devons lutter. Une amnésie temporaire est fréquente dans votre cas et le traitement ne pose aucun problème. Mais si votre amnésie se prolonge, nous devrons modifier notre approche. C'est pourquoi je dois absolument savoir si le nom « Milestone » signifie quelque chose pour vous.

— Oui, il m'est familier. *Vaguement* familier.

— Après avoir obtenu votre doctorat de physique à l'université de Los Angeles, vous êtes immédiatement entrée dans cette société. Nous avons appris par vos collègues de travail que vous êtes célibataire et sans enfants. Est-ce que ces éléments retrouvent leur place ?

Susan soupira de soulagement.

— Oui, dans une certaine mesure. Mon passé se reconstitue... mais seulement par fragments.

— Un accident comme celui que vous avez eu laisse toujours des séquelles et on ne peut s'attendre à les voir disparaître en quelques heures.

Elle avait un grand nombre de questions à lui poser mais sa lassitude était plus forte que sa curiosité. Elle se laissa aller contre les oreillers et demanda de l'eau.

Comme la fois précédente, il lui conseilla de boire à petites gorgées.

Lorsqu'elle eut terminé, elle fit remarquer :

— J'ignore votre nom.

— Oh, désolé. Docteur Viteski. Léon Viteski.

— Je m'interrogeais sur votre léger accent. Viteski... seriez-vous d'origine polonaise ?

— Oui. J'ai perdu mes parents pendant la guerre et un oncle m'a recueilli en 1946. J'avais dix-sept ans lorsque je suis venu dans ce pays.

Toute spontanéité avait disparu de sa voix, il semblait réciter une explication apprise par cœur. Elle avait touché un point sensible. La simple référence à son accent l'avait mis sur la défensive.

— Je suis le médecin-chef de cet hôpital. Au fait... savez-vous où vous vous trouvez ?

— Je me souviens que j'étais en vacances dans l'Oregon, même si je ne me rappelle pas ma destination exacte.

— Vous vous trouvez à Willawauk. Une ville de huit mille habitants. C'est le seul hôpital. Peu important. Trois étages, deux cent vingt lits. Mais cela nous permet de mieux suivre nos patients.

Elle ne percevait aucune fierté ni aucun enthousiasme dans sa voix, presque aussi plate et monotone que celle d'une machine.

A moins que mes sens ne soient en partie émoussés ? se demanda-t-elle.

Malgré sa lassitude et les élancements qui venaient de faire leur réapparition sous son crâne, elle releva la tête pour demander :

— Docteur, pourquoi suis-je ici ? Que m'est-il arrivé ?

— Vous ne vous souvenez pas de l'accident ?

— Non.

— Les freins de votre voiture ont lâché sur une route sinueuse, deux miles avant la bifurcation pour le *Viewtop*.

— Le *Viewtop* ?

— Votre destination. Nous avons trouvé la confirmation de votre réservation dans votre sac.

— C'est un hôtel ?

— Oui. Le *Viewtop Inn*. Un lieu de villégiature. Un grand bâtiment délabré construit il y a un demi-siècle, un authentique refuge pour ceux qui fuient la civilisation.

Elle ferma les yeux et revit la série de photos dans le magazine *Voyages* de février. Elle avait immédiatement retenu une chambre, séduite par le charme des images des larges vérandas, du toit à pignons et de l'immense jardin.

— Mais les freins ont lâché et vous avez perdu le contrôle de votre véhicule. Il a quitté la route, dévalé un talus, fait deux tonneaux avant de s'écraser contre deux arbres.

— Seigneur!

— Votre voiture est broyée. Que vous soyez toujours en vie relève du miracle.

D'un geste hésitant, elle toucha le bandage qui couvrait son front.

— Est-ce grave?

Les épais sourcils de Viteski se rapprochèrent mais Susan eut l'impression irraisonnée qu'il jouait la comédie.

— Une entaille importante, c'est tout. Nous retirerons les points de suture demain ou après-demain et il n'en restera aucune trace.

— Traumatisme crânien?

— Trop léger pour justifier votre coma.

— Mon... coma?

— Les radiographies n'ont rien révélé. Pas d'embolie, d'hématome interne ou de poche de liquide au cerveau. Vous avez reçu un coup sur la tête, c'est tout ce que nous savons. Contrairement à ce que pourraient laisser croire certaines émissions télévisées, la médecine moderne n'a pas toujours réponse à tout. L'important, c'est que vous soyez sortie du coma et qu'il n'ait apparemment laissé aucune séquelle durable. Ces trous de mémoire doivent vous irriter, et même vous effrayer, mais je suis persuadé qu'ils finiront par disparaître avec le temps.

Si Susan avait toujours l'impression qu'il récitait un discours longuement préparé, elle était obsédée par le mot qu'il venait de prononcer. *Coma.* Cela l'épouvantait.

— Combien de temps suis-je restée inconsciente?

— Vingt-deux jours.

Elle le fixa, bouche bée, incrédule.

— C'est impossible.

Elle avait toujours parfaitement contrôlé son existence. Elle menait sa vie privée avec la même méthode scientifique qui lui avait permis d'obtenir son doctorat en physique un an avant les étudiants de son âge. Cette femme, qui n'aimait pas les surprises et ne voulait compter que sur elle-même, était terrifiée à la pensée de se retrouver invalide.

Et si elle n'était pas sortie du coma ?

Ou pire... si elle s'était réveillée paralysée, condamnée à une dépendance totale ?

— Non, répéta-t-elle. Il doit y avoir une erreur.

— Vous avez dû noter votre maigreur. Vous avez perdu plus de sept kilos.

Elle souleva ses bras amaigris et les contempla.

— Nous vous avons naturellement alimentée par perfusion, autrement vous seriez morte de déshydratation depuis longtemps. Mais vous n'avez pas reçu un seul repas véritable, je parle de nourriture solide, depuis plus de trois semaines.

Susan mesurait un mètre soixante-cinq et son poids idéal, compte tenu de sa fine ossature, était approximativement de cinquante kilos. Or elle n'en pesait plus que quarante et un ou quarante-deux, ce qui risquait d'avoir des conséquences dramatiques. Elle posa ses mains sur la couverture et sentit sous ses doigts ses hanches osseuses.

— Vingt-deux jours, fit-elle, songeuse.

Elle avait fini par admettre l'inacceptable.

Et la fin de cette lutte contre la vérité fut accompagnée par un retour de l'épuisement. Elle s'affaissa contre les oreillers.

— C'est assez pour aujourd'hui, déclara Viteski. Parler vous fatigue. Vous avez besoin de repos.

— De repos ? Pour l'amour de Dieu, je me suis reposée pendant vingt-deux jours !

— Le coma ne procure pas un repos comparable à celui du sommeil naturel. Il vous faudra du temps pour retrouver vos forces et votre énergie.

Il récupéra la télécommande, pressa un bouton, et la tête du lit redescendit.

— Non ! s'exclama Susan, brusquement prise de panique. Attendez. Je vous en supplie.

Il ignora ses protestations et le lit reprit sa position horizontale.

Elle saisit les montants et tenta de se relever. Elle était trop lasse pour y parvenir.

— Vous avez besoin de dormir.

— Je ne le pourrai pas.

— Mais si. Vous êtes épuisée, ce qui n'a rien d'étonnant, croyez-moi.

— Non, je veux dire que je n'*ose* pas dormir. J'ai peur de ne pas me réveiller.

— Aucun danger.

— Et si je sombre dans un nouveau coma ?

— Soyez tranquille.

Irritée de voir que l'homme ne comprenait pas ses craintes, elle serra les dents avant de demander :

— Et si c'est malgré tout le cas ?

— Vous n'allez pas passer le reste de votre existence à redouter de vous endormir, déclara patiemment Viteski comme s'il tentait de raisonner une enfant. Détendez-vous. Vous êtes sortie du coma et tout se passera bien. Mais il est tard et j'ai moi aussi besoin de manger et de dormir. Détendez-vous, d'accord ? Détendez-vous.

Il se dirigea vers la porte.

Elle éprouva le besoin de crier : *Ne me laissez pas !* Mais son esprit d'indépendance l'en empêcha. Elle refusait de se conduire comme une petite fille apeurée.

— Dormez, ajouta-t-il. Demain matin, tout ira mieux.

Sur le seuil, il éteignit la lumière.

Les ombres réapparurent comme des créatures vivantes qui se seraient un instant dissimulées sous les meubles et le long des plinthes. Bien que n'ayant jamais eu peur du noir, Susan se sentit mal à l'aise. Les battements de son cœur s'accéléraient.

La silhouette de Viteski se dessinait dans la lumière du couloir. Les traits de son visage avaient disparu.

— Bonne nuit.

Sur ces mots, il referma la porte. La seule clarté provenait désormais de la veilleuse : une petite ampoule de quinze watts. Les ténèbres se refermaient sur Susan, leurs doigts rampaient déjà sur son lit.

14

Elle était seule.

Elle regarda l'autre lit. Les ombres l'enveloppaient d'un linceul de crêpe noir et elle crut distinguer un cercueil.

Ils ne devraient pas me laisser seule, pensa-t-elle. Il faudrait qu'une personne reste pour me veiller... une infirmière, un aide-soignant, *quelqu'un*.

Ses paupières étaient lourdes, incroyablement lourdes.

Non, je ne dois pas m'endormir. Pas avant d'être certaine que mon sommeil ne se changera pas en un nouveau coma de trois semaines.

Elle résista quelques minutes au poids du sommeil mais ses yeux la brûlaient. Finalement, elle se résigna à fermer les paupières pour calmer l'irritation qu'elle sentait.

Susan s'endormit aussitôt.

Et elle rêva.

Dans son rêve, elle gisait sur un sol dur et humide, dans une vaste chambre froide et obscure. Elle n'était pas seule. *Ils* se trouvaient là. Elle courait en titubant dans des salles, suivait des couloirs de pierre, fuyait un cauchemar qui était, en fait, le souvenir d'un lieu réel, d'un temps réel et d'une horreur réelle qu'elle avait vécue alors qu'elle n'avait que dix-neuf ans.

Dans l'Antre du tonnerre.

3

Le lendemain matin, quelques minutes après son réveil, l'infirmière grisonnante et rondelette vint glisser un thermomètre sous la langue de Susan et prendre son pouls. Elle récupéra les lunettes qui se balançaient sur sa poitrine afin de lire la température. Tout en effectuant son travail, elle ne cessait de parler. Elle s'appelait Thelma Baker et était infirmière depuis trente-cinq ans. Elle affirmait qu'elle aimait tant son travail qu'elle se demandait parfois si elle n'était pas la réincarnation d'une femme ayant déjà fait ce métier au cours d'une existence antérieure.

— Mais chaque médaille a son revers et je ne sais pas faire grand-chose d'autre, ajouta-t-elle avec un petit rire.

Elle lui avoua qu'elle était une femme d'intérieur médiocre et qu'elle ne parvenait pas à gérer son budget. Elle n'était pas faite pour le mariage : deux époux, deux divorces, et pas d'enfants. Elle n'était pas non plus une bonne cuisinière et avait la couture en horreur.

— Cependant, je connais mon métier et j'en suis fière, ne cessait-elle de répéter en arborant un large sourire.

Susan la trouvait sympathique. Habituellement, les bavards l'irritaient, mais les propos de Mrs Baker la distrayaient.

— Faim ? demanda la femme.

— Affamée.

— Aujourd'hui, vous aurez droit à du solide.

L'infirmière n'avait pas achevé sa phrase qu'un jeune aide-soignant blond lui apportait un petit déjeuner composé de flan à la fraise, d'une tranche de pain grillé, d'une cuillerée de gelée de raisin et d'un petit bol de tapioca.

Susan n'avait jamais rien vu d'aussi appétissant et elle fut déçue de constater que les portions étaient minuscules ; elle en fit la remarque.

— Croyez-moi, déclara Mrs Baker, vous serez rassasiée avant d'en avoir mangé la moitié. Après trois semaines de jeûne, votre estomac s'est rétréci.

L'infirmière alla s'occuper d'autres patients et Susan découvrit bientôt qu'elle avait eu raison. Elle ne put terminer son repas.

Elle pensa au Dr Viteski et jugea qu'il n'aurait pas dû la laisser seule. Malgré la jovialité de Mrs Baker, cet hôpital lui semblait froid et inhospitalier.

Elle essuya ses lèvres avec une serviette en papier, repoussa la table roulante... et eut brusquement l'impression d'être observée. Elle releva les yeux.

Il se tenait sur le seuil de la chambre : c'était un homme grand et élégant, proche de la quarantaine. Il portait des chaussures et un pantalon noirs, une blouse et une chemise blanches, une cravate verte. Ses traits symétriques semblaient dus au ciseau d'un sculpteur et ses yeux bleus brillaient comme des pierres précieuses, contrastant étrangement avec ses cheveux noirs abondants et peignés en arrière.

— Je suis ravi de vous voir éveillée, miss Thorton, dit-il en venant vers le lit avec un sourire encore plus chaleureux que celui de Thelma Baker. Je suis votre médecin. Dr McGee. Jeffrey McGee.

Il lui tendit la main et elle la serra.

— Je croyais qu'il s'agissait du Dr Viteski.

— Viteski est le grand patron mais c'est moi qui m'occupe de votre cas, fit-il d'une voix au timbre mâle et rassurant. J'étais de service lorsque vous avez été admise aux urgences.

— Mais hier, le Dr Viteski...

— C'était mon jour de congé. Je ferme mon cabinet particulier deux jours par semaine mais je ne prends qu'un seul jour en ce qui concerne l'hôpital. Et, après vingt-deux jours de coma, vous avez attendu mon absence pour revenir à vous.

Il secoua la tête, feignant d'être peiné.

— Miss Thorton, je tiens à être présent chaque fois qu'il se produit un miracle concernant un de mes patients, afin d'en obtenir le crédit et d'en récolter toute la gloire.

Susan lui sourit, surprise par sa gaieté.

— Je comprends, docteur McGee.

— Parfait. Je suis heureux que les choses soient claires entre nous. Comment vous sentez-vous ce matin?

— Mieux.

— En forme pour aller danser?

— Demain, peut-être.

— Je note le rendez-vous, fit-il avant de regarder le plateau. Je constate que vous avez bon appétit.

— J'ai tenté de tout dévorer mais j'en ai été incapable.

— Orson Welles a tenu les mêmes propos.

Susan eut un rire.

— C'est parfait, ajouta-t-il. Il faut débuter par des

repas peu copieux mais fréquents. Des migraines, ce matin? Ensommeillée?

— Ni l'un ni l'autre.

— Votre pouls, dit-il en tendant la main vers son poignet.

— Mrs Baker l'a pris avant le petit déjeuner.

— Je sais. Une simple excuse pour tenir votre main dans la mienne.

Susan rit à nouveau.

— Vous êtes différent de la plupart des autres médecins.

— Croyez-vous qu'un toubib doive être distant, triste et sans humour?

— Pas nécessairement.

— Préféreriez-vous que je ressemble au Dr Viteski?

— Certainement pas!

— C'est un ek-cellon prâtissien, fit-il en imitant l'accent de Viteski.

— Je suis certaine que vous le surpassez.

— Merci. Ce compliment vous permettra de bénéficier d'une petite ristourne sur mes honoraires.

Il tenait toujours sa main. Finalement, il regarda sa montre et prit son pouls.

— Parfait, vous êtes en vie, dit-il. Mais parlons sérieusement. J'estime que des rapports détendus entre un médecin et son patient aident ce dernier à garder un bon moral, ce qui facilite sa guérison. Mais certaines personnes n'aiment pas les médecins joyeux, elles ne se sentent rassurées que si tout le poids du monde semble peser sur leurs épaules. Si mes plaisanteries vous irritent, n'hésitez pas à me le dire. L'important, c'est que vous vous sentiez à votre aise et confiante.

— Restez tel que vous êtes, mon moral en a besoin.

— Vous n'avez pas à broyer du noir. Les épreuves sont terminées.

Il serra légèrement sa main puis la lâcha.

Susan le regretta un peu et en fut surprise.

— Viteski m'a parlé de certains trous de mémoire.

— Ils sont moins nombreux qu'hier et j'espère que tout mon passé me reviendra un jour ou l'autre.

— Je voudrais en parler avec vous mais je dois terminer ma tournée de visites. Je reviendrai dans deux heures, si vous êtes d'accord.

— Naturellement, docteur McGee.

— Et reposez-vous. Pas de tennis jusqu'à nouvel ordre.

— Zut! Il va falloir que j'annule le tournoi avec Mrs Baker.

Il sortit et elle le suivit des yeux en souriant.

Il avait déjà eu une influence positive sur elle. Elle attribuait désormais la paranoïa qu'elle avait sentie croître en elle à sa faiblesse et à son impuissance. L'étrange conduite de Viteski lui paraissait désormais sans importance, et plus la moindre menace ne semblait émaner de cet hôpital.

★

Lorsque Mrs Baker revint, une demi-heure plus tard, Susan lui demanda un miroir et le regretta presque aussitôt. Elle y vit un visage émacié et livide. Ses yeux gris-vert étaient injectés de sang et très cernés. Pour faciliter les soins, un aide-soignant du service des urgences avait coupé ses cheveux blonds, sans le moindre souci de son aspect. Le résultat était lamentable.

— Mon Dieu, je suis horrible!

— Mais non, seulement un peu lasse, répondit Mrs Baker. Dès que vous aurez repris du poids, vos joues se rempliront et ces creux sous vos yeux disparaîtront.

— Mes cheveux sont si sales!

— Tout ce que je peux vous proposer, tant que vous avez ce pansement, c'est un shampooing sec.

— Vous pensez que ce sera efficace?

— Un peu.

— Alors, c'est entendu.

Mrs Baker apporta une boîte de poudre et une brosse.

— Et mes bagages? demanda Susan. Que sont-ils devenus après cet accident?

— Ils sont dans ce placard.

— Pourriez-vous m'apporter ma trousse de toilette?

Mrs Baker eut un large sourire.

— Il est vraiment séduisant, n'est-ce pas ? Et si gentil. Célibataire qui plus est.

Susan rougit.

— Je ne vois pas de qui vous voulez parler.

— Ne soyez pas embarrassée. Toutes les patientes du Dr McGee veulent paraître à leur avantage. Les adolescentes frissonnent à sa vue et les yeux des jeunes femmes comme vous prennent un éclat caractéristique. Même les grand-mères arthritiques aux cheveux blancs veulent se pomponner.

★

Peu après midi, le Dr McGee entra en poussant devant lui un chariot en métal chromé sur lequel se trouvaient deux plateaux.

— J'ai pensé que nous pourrions manger quelque chose tout en parlant de vos problèmes de mémoire.

— Un médecin qui déjeune avec sa patiente ? fit-elle, surprise.

— Ici, nous sommes moins formalistes que dans les hôpitaux des grandes villes.

— Quel est le menu ?

— Sandwich salade-poulet et tarte aux pommes pour moi. Pain grillé, tapioca, et...

— Encore ! Ça devient monotone.

— Cette fois, le flan est au citron. Et vous aurez en prime quelques pêches au sirop. Un festin de roi.

Il avança une chaise et abaissa le lit afin qu'ils puissent parler confortablement tout en mangeant.

Il posait un des plateaux sur la table de lit lorsqu'il déclara :

— Vous voilà bien fraîche et pimpante.

— J'ai une mine de déterrée et mon teint est jaunâtre, dit-elle.

— Laissez cette couleur à votre tapioca, vous êtes resplendissante, je vous assure. Et n'oubliez pas qu'un patient ne doit jamais contredire son médecin.

— Alors, merci du compliment.

— A la bonne heure.

Ses cheveux étaient moins ternes et elle avait mis une touche de rose à joues et du rouge à lèvres. Grâce à quelques gouttes de collyre, ses yeux n'étaient plus injectés de sang, même si leur blanc restait légèrement troublé. Elle avait échangé la chemise de nuit d'hôpital contre un pyjama de soie bleue trouvé dans ses bagages. Si Susan n'était pas tout à fait à son avantage, du moins paraissait-elle moins pitoyable que le matin.

Tout en déjeunant, ils parlèrent de ses trous de mémoire, qui étaient déjà moins nombreux que le jour précédent. Au réveil, Susan avait découvert qu'elle se souvenait parfaitement de son enfance.

Elle était née dans la banlieue de Philadelphie et revoyait la jolie maison blanche de ses parents dans une rue bordée d'érables où elle avait grandi.

— Un cadre idéal pour une enfance heureuse, commenta McGee.

Susan avala une bouchée de flan au citron avant de lui répondre :

— Je n'ai malheureusement bénéficié que du cadre. J'ai toujours été une enfant solitaire.

— Après votre admission, nous avons tenté en vain de contacter votre famille.

Elle lui parla de ses parents. Sa mère, Régina, avait été tuée dans un accident de la circulation. Si Susan ne s'en souvenait plus très bien, c'était sans aucun rapport avec son propre accident. Elle n'avait alors que sept ans, et vingt-cinq années s'étaient écoulées depuis lors. L'image de Régina s'était lentement effacée de son souvenir comme celle d'une vieille photographie fanée par le soleil. Par contre, elle se souvenait parfaitement de son père. Susan avait beaucoup aimé Frank Thorton, imposant par sa haute taille, propriétaire d'un magasin de confection. Elle savait qu'il lui rendait son affection, même s'il ne le disait jamais. Calme et un peu timide, il trouvait son bonheur lorsqu'il était seul chez lui avec un bon livre et sa pipe. Peut-être se serait-il montré plus expansif avec un fils. Il était mort d'un cancer dix ans après la disparition de sa femme, l'été après que Susan eut achevé ses études au lycée. C'est ainsi qu'elle avait commencé sa vie d'adulte dans la solitude.

McGee avait avalé son sandwich; il essuya ses lèvres avec une serviette en papier et demanda :

— Ni oncles ni tantes ?

— Une tante et un oncle, mais ils étaient pour moi des étrangers. Pas de grands-parents. Notez bien qu'une enfance solitaire n'a pas que des aspects négatifs. J'ai appris à me débrouiller seule.

McGee mangeait sa tarte aux pommes et Susan goûtait ses pêches au sirop. Ils parlèrent de ses années à l'université. Après ses études au Briarstead College, elle avait quitté la Pennsylvanie pour Los Angeles où elle avait obtenu sa licence et son doctorat. Elle se souvenait parfaitement de cette période de son existence, bien qu'elle eût préféré pouvoir oublier ce qui s'était passé pendant sa première année à Briarstead.

— Quelque chose ne va pas ? s'enquit McGee en reposant un morceau de tarte aux pommes.

Elle cilla.

— Je vous demande pardon ?

— Votre expression... Pendant un instant, j'ai cru que vous veniez de voir un spectre.

— Oui. C'est exact, en un certain sens.

Elle avait brusquement perdu tout appétit et repoussa la table.

— Vous désirez en parler ?

— Seulement un mauvais souvenir.

McGee laissa sa part de tarte inachevée.

— Vous pouvez vous confier à moi.

— Je ne tiens pas à vous ennuyer avec mes histoires.

— Si ce souvenir vous tracasse, vous devez m'en parler. J'aime entendre des histoires ennuyeuses, une fois de temps en temps.

Elle ne parvint même pas à sourire. McGee lui-même ne pourrait la dérider s'il était question de l'Antre du tonnerre.

— Eh bien... j'étais en première année à Briarstead et je sortais avec Jerry Stein, un garçon très gentil qui me plaisait beaucoup. En fait, nous avions décidé de nous marier après la fin de nos études. Mais il est mort de mort violente.

— Que s'est-il passé ?

— Il voulait faire partie d'une association d'étudiants, une sorte de société secrète, de confrérie...

— Oh, Seigneur! s'exclama McGee qui devinait la suite.

— La cérémonie d'initiation a dégénéré.

— C'est une façon si stupide de mourir... Une nuit, quand j'étais encore interne, on a amené aux urgences un gosse qui avait été brûlé au cours d'une épreuve par le feu, une idiotie dans ce genre. Les choses ne s'étaient pas passées comme prévu, et il était brûlé aux trois quarts. Il est mort en deux jours.

— Jerry n'a pas été victime d'un accident mais de la haine.

Ce souvenir la fit frissonner.

— De la haine? Que voulez-vous dire?

Elle resta silencieuse pendant que ses pensées remontaient treize ans en arrière. En dépit de la chaleur régnant dans la chambre d'hôpital, Susan avait froid, aussi froid que dans l'Antre du tonnerre.

McGee attendait patiemment et, finalement, elle secoua la tête pour déclarer :

— Je préfère ne pas entrer dans les détails.

— Vous avez été bien souvent confrontée à la mort, et si jeune !...

— Il m'est arrivé de penser que j'étais maudite. Tous ceux auxquels je tenais mouraient.

— Votre mère, votre père puis votre fiancé.

— Enfin, ce n'était pas mon fiancé. Pas vraiment.

— Mais presque...

— Il ne manquait que la bague.

— Vous n'éprouvez pas le besoin de parler de sa mort?

— Non.

— Si elle vous hante après treize années...

— Je sais que je ne me débarrasserai *jamais* de ce souvenir, l'interrompit-elle. Il est trop horrible pour tomber dans l'oubli. N'avez-vous pas dit qu'un bon moral était indispensable à un rétablissement rapide?

— C'est exact, fit-il en souriant.

— Il est donc préférable que je ne parle pas de choses qui me dépriment.

Il la fixa longuement, et elle lut dans ses yeux son désir de lui venir en aide.

— Entendu, soupira-t-il. Revenons à nos moutons... autrement dit à votre amnésie. Tout a-t-il retrouvé sa place ?

Avant de lui répondre, elle prit la télécommande et redressa légèrement la tête du lit. Son dos la faisait souffrir, après trois semaines d'immobilité.

— Je ne peux toujours pas me souvenir de l'accident. Je me revois au volant sur une portion de route sinueuse. Je me trouvais à deux miles au sud de l'embranchement du *Viewtop Inn* et j'étais impatiente d'arriver. Ensuite, eh bien, c'est comme si quelqu'un avait éteint la lumière.

— Je ne serais pas surpris si vous ne vous en souveniez jamais. Dans les cas d'amnésie, il est très rare de voir un patient se rappeler l'accident qui l'a provoquée.

— Je m'en doutais. Mais ce qui me rend folle, c'est que j'ai également tout oublié de mon travail. Bon sang, je sais que je suis physicienne et je me souviens de tout ce que j'ai appris pendant mes études. Je pourrais me remettre à l'ouvrage immédiatement. Mais je ne sais plus *qui* m'employait, ce que je faisais... et avec quelles personnes. Est-ce que je travaillais dans un bureau ou dans un laboratoire ? Un labo, probablement. Mais je ne me rappelle ni son aspect ni son équipement, et encore moins son emplacement.

— Vous étiez employée par la Milestone Corporation, à Newport Beach, en Californie.

— Le Dr Viteski me l'a dit mais ce nom ne signifie rien pour moi.

— D'autres souvenirs vous sont revenus. Ce n'est qu'une question de temps.

— Non, les choses sont différentes. Je pourrais comparer les autres trous de mémoire à des nappes de brume. Je percevais la présence de souvenirs dissimulés par un épais brouillard qui finissait par se dissiper. Mais lorsque je pense à mon travail, ce n'est pas de la brume mais un puits de ténèbres... un puits sans fond. C'est effrayant.

McGee se pencha vers elle, les sourcils froncés.

— On a trouvé une carte d'identification de la Milestone dans votre portefeuille, lorsque vous avez été admise aux urgences. Elle vous rafraîchira peut-être la mémoire.

— C'est possible, fit-elle, le doute dans la voix. Je peux la voir ?

Il ouvrit un des tiroirs de la table de chevet et en sortit un portefeuille.

Elle l'ouvrit et découvrit une carte plastifiée portant sa photographie. Au-dessus était écrit en lettres bleues : THE MILESTONE CORPORATION. Au-dessous, elle lut son nom et des informations sur son âge, sa taille, son poids et la couleur de ses cheveux et de ses yeux. En bas un numéro d'identification était imprimé en rouge. C'était tout.

— Alors ? s'enquit McGee qui était resté debout et gardait les yeux sur elle.

— Je ne me rappelle même pas avoir déjà vu cette carte.

Elle la retournait entre ses doigts et tentait de rétablir les circuits de sa mémoire. Cet objet ne lui aurait pas paru plus bizarre s'il s'était agi d'une chose extra-terrestre rapportée de la planète Mars.

— Tout est si étrange, ajouta-t-elle. J'ai essayé de me remémorer mon dernier jour de travail, la veille de mon départ en vacances. Des fragments de cette journée sont aussi clairs que du cristal. Je me rappelle m'être levée, avoir pris mon petit déjeuner en jetant un coup d'œil aux journaux. Je me souviens être allée jusqu'au garage, avoir mis le contact. Je me revois prendre l'allée en marche arrière et ensuite... je reviens chez moi, en fin de journée. Entre ces deux instants, il n'y a rien, le néant. Et c'est la même chose en ce qui concerne tous mes souvenirs de travail, quel que soit le jour. Ils n'existent plus.

— Oh, si, ils existent dans votre subconscient ! Faites un effort. Imaginez-vous au volant de votre voiture, ce matin-là. C'était une journée d'août et le ciel devait être bleu, peut-être un peu brumeux.

Elle ferma les yeux.

— Oui, le ciel était bleu. Mais il n'y avait pas de brume.

— Vous avez reculé dans l'allée. Quelle route avez-vous suivie ensuite?

Elle demeura silencieuse une bonne minute.

— Inutile, je ne me souviens de rien.

— Dans quelle rue vous êtes-vous engagée?

Elle se concentra afin d'arracher un fragment de souvenir au néant, un visage, une pièce, une voix, *n'importe quoi*, mais elle échoua.

— Désolée, rien ne me revient à l'esprit.

— Si vous vous souvenez que vous rouliez en marche arrière, vous devez savoir si vous avez ensuite tourné à droite ou à gauche.

Les yeux toujours clos, Susan réfléchit longuement. Enfin, elle rouvrit les paupières et haussa les épaules.

— Je ne sais pas.

— Philip Gomez, dit McGee.

— Quoi?

— Philip Gomez.

— Je devrais le connaître?

— Ce nom ne signifie rien pour vous?

— Non.

— C'est votre patron à la Milestone.

— Vraiment?

Elle tenta d'imaginer son visage mais rien n'apparut dans son esprit.

— Mon patron? En êtes-vous certain?

Les mains de McGee disparurent dans les poches de sa blouse.

— Après votre admission, nous avons tenté de joindre votre famille. Comme vous n'aviez aucun parent proche, nous avons téléphoné à votre employeur. J'ai moi-même parlé à Phil Gomez. Selon lui, vous travaillez pour la Milestone depuis plus de quatre ans. Il a semblé très inquiet à votre sujet. En fait, il a téléphoné quatre ou cinq fois pour avoir de vos nouvelles depuis l'accident.

— Serait-il possible de le rappeler? En entendant sa voix, quelque chose se remettra peut-être en place.

— Je n'ai pas son numéro de téléphone personnel et

nous ne pourrons pas le joindre à la Milestone avant demain.

— Mais... pourquoi?

— Nous sommes dimanche.

— Et si rien ne me revient sur mon travail après cet entretien?

— La mémoire va vous revenir.

— Non, parlez-moi franchement. Il existe une possibilité pour que tout ce qui se rapporte à mes activités professionnelles reste dans l'oubli, n'est-ce pas?

— C'est hautement improbable.

— Mais pas impossible?

— Tout est possible... évidemment.

Elle s'adossa aux oreillers, brusquement lasse, déprimée et inquiète.

— Mais c'est moins grave que vous ne le pensez, ajouta McGee. Vous vous souvenez de tout ce que vous avez appris, contrairement à ce qui se passe lors d'une amnésie rétrograde progressive. Vous ne sauriez même plus lire et écrire. Ce n'est pas le cas et je suis sûr qu'avec le temps tout redeviendra comme avant.

Susan espérait qu'il ne se trompait pas. Sa vie structurée et bien ordonnée se retrouvait bouleversée, chaotique. Elle ne pouvait accepter de vivre ainsi jusqu'à la fin de ses jours.

McGee retira ses mains de ses poches pour regarder sa montre.

— Je dois vous laisser mais je m'arrêterai une minute avant de rentrer chez moi. Entre-temps, détendez-vous. Essayez de finir votre repas et ne vous inquiétez pas : vous vous souviendrez tôt ou tard de la Milestone.

Brusquement, alors qu'elle écoutait McGee, Susan eut une pensée absurde. Elle avait l'impression qu'il serait préférable de ne rien se remémorer sur le compte de cette société. Une terreur absolument inexplicable venait de l'envahir.

Elle dormit deux heures et, cette fois, sans rêves — ou, si elle rêva, elle n'en garda aucun souvenir.

A son réveil, son corps était moite, ses cheveux emmêlés. Elle se peigna en tressaillant chaque fois qu'elle devait défaire un nœud.

Elle reposait le peigne sur la table de chevet lorsque Mrs Baker pénétra dans la chambre en poussant un fauteuil roulant devant elle.

— Le moment est venu de faire un petit voyage.

— Où allons-nous ?

— Explorer les vestibules et les couloirs exotiques du premier étage de ce lieu mystérieux, romantique et haut en couleur qu'est l'hôpital du comté de Willa-wauk. Un voyage qui vous marque une existence. Nous allons bien nous amuser et, en outre, le docteur veut que vous preniez un peu d'exercice.

— Ce n'est pas en restant assise dans un fauteuil à roulettes que je vais développer mes muscles.

— Le simple fait de vous agripper aux accoudoirs et d'ouvrir la bouche en découvrant les autres patients suffira à vous épuiser. Votre forme actuelle n'est pas précisément celle d'un athlète olympique.

— Mais je suis encore capable de marcher, rétorqua Susan. Si je pouvais m'appuyer à votre bras, je vous assure que...

— Demain, vous ferez quelques pas, déclara Mrs Baker. Mais aujourd'hui vous aurez droit à une visite guidée.

— Me sentir invalide m'horripile.

— Pour l'amour du ciel, vous êtes momentanément handicapée, c'est tout !

— Ce qui est tout aussi agaçant.

Mrs Baker amena le fauteuil roulant contre le lit.

— Premièrement, vous allez vous asseoir et balancer vos jambes pendant une ou deux minutes.

— Pourquoi ?

— Afin d'assouplir vos muscles.

Susan s'assit. Sans le lit relevé pour la soutenir, elle

se sentait faible et prise d'étourdissements. Elle s'agrippa au matelas, croyant qu'elle allait rouler sur le sol.

— Est-ce que ça va ? demanda Mrs Baker.

— Parfaitement, mentit Susan qui parvint à sourire.

— Continuez vos mouvements, Susan.

Elle obéit. Ses jambes lui semblaient être de plomb. Finalement, Mrs Baker s'adressa à nouveau à elle :

— Ça va. C'est assez.

Susan fut atterrée de découvrir qu'elle était en nage.

— Je *sais* que je pourrais marcher, dit-elle malgré tout.

— Demain.

— Je me sens parfaitement bien.

Mrs Baker gagna le placard et en sortit une robe de chambre assortie au pyjama de soie bleue. Pendant que Susan la passait, l'infirmière trouva ses mules dans une valise et les lui chaussa.

— Maintenant, laissez-vous glisser du lit. En douceur. Appuyez-vous sur moi et je vous aiderai à vous installer dans le fauteuil.

Susan avait l'intention de désobéir; elle voulait se lever sans aide pour démontrer à l'infirmière qu'elle n'était pas une invalide. Mais elle ne tarda pas à comprendre que ses jambes ne pourraient pas la soutenir. Si ses jambes lui avaient semblé de plomb un instant plus tôt, elles semblaient à présent de coton. Redoutant l'humiliation d'une chute, elle s'agrippa à Mrs Baker et se laissa installer dans le fauteuil roulant comme un bébé dans une poussette.

L'infirmière lui adressa un clin d'œil.

— Vous pensez toujours pouvoir courir un cent mètres ?

A la fois amusée et gênée par sa propre obstination, Susan sourit et rougit.

— Demain, je marcherai à en user mes semelles. Vous verrez.

— Eh bien, j'ignore si vous possédez beaucoup de bon sens mais je constate que vous ne manquez pas de cran. C'est une qualité que j'ai toujours admirée.

Mrs Baker vint se placer derrière le fauteuil et le poussa hors de la chambre.

L'hôpital était en forme de T, et la chambre de Susan se trouvait à l'extrémité droite de la barre horizontale. Mrs Baker la guida jusqu'à l'intersection des corridors puis s'engagea dans l'aile principale, en direction de la base du T.

L'abandon momentané de son lit et de sa chambre améliorait le moral de Susan. Le sol du couloir était recouvert de gerflex vert foncé et les murs, peints d'une couleur assortie sur près d'un mètre de haut, devenaient ensuite jaune pâle comme le plafond. Les lieux étaient aussi propres que sa chambre. Susan se souvenait de l'immense hôpital de Philadelphie où son père avait finalement succombé d'un cancer; des salles sinistres et délabrées qui auraient eu grand besoin d'être repeintes, les appuis des fenêtres recouverts d'une épaisse couche de poussière et des années de crasse accumulées entre les carreaux fendillés du sol. Elle remercia le destin d'avoir été admise à l'hôpital du comté de Willawauk.

Les médecins, les infirmières et les aides-soignants étaient différents eux aussi : souriants et attentifs aux malades. Tandis que Mrs Baker la poussait dans le couloir, les membres du personnel interrompaient leurs tâches pour lui adresser la parole; tous semblaient contents de la voir réveillée et sur la voie de la guérison.

Arrivée à l'extrémité du couloir principal, Mrs Baker fit pivoter le fauteuil pour revenir sur ses pas. Susan commençait à éprouver une certaine lassitude mais elle se sentait mieux que la veille, et même que le matin.

Mais un événement fit changer son humeur avec la soudaineté et la violence d'un coup de feu.

Comme elles passaient entre les ascenseurs et le poste des infirmières — qui se faisaient face au centre de ce couloir —, les portes d'une des cabines s'ouvrirent et un homme en sortit. C'était un patient vêtu d'un pyjama à rayures blanches et bleues, d'une robe de chambre sombre et de pantoufles marron. Mrs Baker s'arrêta pour lui céder le passage mais lorsque Susan reconnut cet homme elle faillit hurler. Elle *voulait* hurler mais ne le pouvait pas. La peur oppressait sa poitrine et serrait sa gorge; elle était comme paralysée.

Il se nommait Ernest Harch. C'était un personnage athlétique au visage carré; ses yeux avaient la nuance grise de la neige sale.

Lorsqu'elle avait témoigné contre lui, lors du procès, il l'avait fixée de ses yeux menaçants et ne l'avait pas quittée du regard un seul instant. Elle avait compris sans la moindre difficulté le message silencieux qu'il lui adressait : *Tu regretteras d'être venue à la barre des témoins.*

Mais treize années s'étaient écoulées depuis lors et elle avait pris toutes dispositions afin d'être certaine qu'il ne pourrait la retrouver à sa sortie de prison. Voilà bien longtemps qu'elle ne regardait plus à tout bout de champ par-dessus son épaule pour voir si on la suivait.

Cependant, cet homme se tenait devant elle.

Il abaissa les yeux vers la femme assise dans le fauteuil roulant et elle ne put se méprendre sur la signification de ce qu'exprimait son regard. Malgré les années écoulées, malgré la maigreur qui modifiait ses traits, il l'avait reconnue.

Elle aurait voulu se lever et s'enfuir mais elle était paralysée par la peur et ne pouvait faire le moindre geste.

Quelques secondes s'étaient écoulées depuis l'ouverture des portes de la cabine d'ascenseur. Elle avait l'impression de se trouver en face de Harch depuis une éternité.

L'homme lui sourit. Pour toute autre personne que Susan son sourire pouvait paraître innocent, voire même amical. Mais elle put y lire la haine et la menace.

Ernest Harch faisait partie de la confrérie à laquelle Jerry Stein avait souhaité appartenir. C'est lui qui avait tué Jerry. Non pas par accident. Mais délibérément. De sang-froid. Dans l'Antre du tonnerre.

Sans cesser de sourire, il adressa un clin d'œil à Susan.

La paralysie engendrée par la peur desserra son

étreinte et elle parvint à trouver les forces nécessaires pour se lever. Elle fit un pas, tenta désespérément de courir et entendit l'exclamation de surprise de Mrs Baker. Elle entreprit un second pas. Elle avait l'impression de marcher sous l'eau, lorsque ses jambes ployèrent et qu'elle se sentit tomber. Quelqu'un la retint avant qu'elle n'eût atteint le sol.

Tout se mit à tournoyer et s'obscurcit, mais elle eut le temps de prendre conscience que c'était Ernest Harch qui l'avait soutenue : elle était dans ses bras. Elle releva les yeux vers son visage.

Puis ce furent les ténèbres.

4

— En danger ? répéta McGee, visiblement déconcerté.

Au pied du lit, Mrs Baker fronça les sourcils.

Susan éprouvait des difficultés à garder son calme mais elle avait assez de présence d'esprit pour comprendre que personne ne croirait une hystérique... surtout lorsque cette dernière venait de subir un grave traumatisme crânien. Elle craignait que Jeffrey McGee ne penche pour l'hypothèse d'une hallucination et elle devait le convaincre à tout prix.

En reprenant connaissance dans son lit, quelques minutes après son évanouissement, elle avait ouvert les yeux sur McGee qui prenait sa tension ; elle s'était résignée à attendre qu'il eût terminé son examen pour lui parler de la menace qui pesait sur elle.

A présent, il se tenait à côté du lit et se penchait vers elle, un stéthoscope autour du cou.

— Pourquoi vous sentez-vous en danger ?

— A cause de cet homme.

— Quel homme ?

— Celui qui est sorti de l'ascenseur.

McGee porta son regard vers Mrs Baker.

— Un de nos patients, docteur, expliqua l'infirmière.

— Et vous pensez qu'il représente une menace pour vous? demanda McGee qui fixait à nouveau Susan, le front perplexe.

— Docteur McGee, vous souvenez-vous de ce que je vous ai dit au sujet de Jerry Stein?

— Naturellement. Le jeune homme que vous envisagiez d'épouser.

Elle hocha la tête.

— Il est mort au cours de la cérémonie d'admission dans une confrérie secrète, ajouta-t-il.

— Oh! mon Dieu, s'exclama Mrs Baker qui n'avait encore jamais entendu parler de Jerry. Quelle chose affreuse!

La bouche de Susan était sèche. Elle avala plusieurs fois sa salive avant de déclarer :

— Ils appelaient cela des « brimades rituelles » : le postulant devait être humilié devant une jeune fille. De préférence celle avec qui il sortait régulièrement. Ils nous emmenèrent dans une caverne située à deux miles du campus de Briarstead, un endroit qu'ils utilisaient souvent comme décor à leurs jeux stupides. Je n'avais guère envie d'y aller, même si la cérémonie n'avait encore rien de menaçant. Tous étaient joyeux, Jerry aussi, mais j'avais néanmoins perçu dans mon subconscient une certaine... agressivité. En outre, il me semblait que les garçons chargés de faire subir des brimades à Jerry avaient bu. Je m'étais tout de même laissé convaincre. Comprenez-moi, Jerry tenait à faire partie de cette société secrète.

Elle regarda le ciel par la fenêtre. Le vent s'était levé et agitait les branches des grands pins.

Parler de la mort de Jerry lui était très pénible mais elle devait tout raconter à McGee et Mrs Baker; ils devaient comprendre pourquoi Ernest Harch représentait pour elle un véritable danger.

— Les cavernes proches de Briarstead sont immenses, ajouta-t-elle, et composées de huit ou dix salles souterraines, peut-être plus. C'est un endroit humide, envahi par la moisissure : un paradis pour les spéléologues.

— Je ne crois pas en avoir entendu parler, lui déclara McGee.

— Oh, ces cavernes n'attirent pas les touristes comme celles de Carlsbad ! Ce sont de simples salles de calcaire gris, aussi lugubres que l'enfer. Elles sont immenses, c'est tout. La plus vaste a la dimension d'une cathédrale. Les Indiens shawnee ont donné un nom à cette salle : l'Antre du tonnerre.

— Du tonnerre ? répéta McGee. Mais pourquoi ?

— Un torrent souterrain débouche dans les hauteurs de cette grotte et tombe jusqu'au sol par une suite de cascades. Le grondement de l'eau est amplifié par la dimension des parois et il évoque celui du tonnerre.

Susan croyait encore sentir l'air humide et froid de la caverne sur sa peau. Elle frissonna et ramena la couverture sur ses jambes.

Le regard compréhensif et plein de compassion de McGee croisa le sien. Il comprenait combien il lui était pénible de parler de Jerry Stein.

Mrs Baker semblait être sur le point de faire le tour du lit pour venir la prendre entre ses bras.

— Ce rituel d'humiliation devait-il avoir lieu dans l'Antre du tonnerre ? s'enquit McGee.

— Oui. C'était la nuit. Quatre membres de la confrérie nous conduisirent dans cette salle. Je n'oublierai jamais leurs noms ni leurs visages. Jamais. Carl Jellicoe, Herbert Parker, Randy Lee Quince... et Ernest Harch.

Le jour s'assombrissait sous un amas de nuages bas et les ombres rampaient hors des recoins de la chambre. Bientôt, elles l'auraient envahie.

Le Dr McGee se pencha vers la lampe au chevet de Susan pour donner de la lumière.

— Harch et ses amis allumèrent des bougies et sortirent des flasques de whisky. Ils étaient déjà bien éméchés et ils ne cessèrent de boire durant toute la cérémonie. Plus ils buvaient, plus ils devenaient violents. Au début, tout le monde riait, même Jerry et moi. Mais leurs sarcasmes devenaient progressivement plus agressifs... ignobles même... puis obscènes. Je commençais à être gênée et inquiète. Je voulus partir mais

Harch et ses amis refusèrent de me donner une lampe ou une bougie, et je craignais de me perdre dans les salles souterraines. Je fus obligée de rester et lorsqu'ils commencèrent à reprocher à Jerry d'être juif, je compris que nous aurions bientôt des ennuis. Ils étaient désormais complètement ivres mais l'alcool n'était pas le seul responsable de leurs propos. Oh, non! Leur haine n'était pas feinte. L'antisémitisme de Harch et des autres était profondément enraciné.

« Briarstead était une petite communauté où l'on ne trouvait pas l'habituel mélange culturel des grandes villes. Les juifs y étaient peu nombreux. Ce n'est pas que cette confrérie fût antisémite : deux étudiants de confession judaïque y avaient été admis dans le passé. La plupart des membres voulaient voir Jerry en faire partie. Seuls Harch et ses trois amis ne voulaient pas de lui. Ils avaient bien l'intention de lui rendre le mois de mise à l'épreuve des plus pénible afin qu'il décide de lui-même de se retirer. Le rituel d'humiliation dans l'Antre du tonnerre devait marquer le simple début de ses épreuves. Ils n'avaient pas l'intention claire de le tuer lorsqu'ils nous ont conduits dans cette caverne. Ils projetaient de le rudoyer, de l'effrayer et de lui faire comprendre qu'il était loin d'être le bienvenu. Mais, de verbales, les agressions devinrent physiques. Ils formaient un cercle autour de lui et le bousculaient tour à tour. Jerry ne tarda pas à comprendre que les choses ne se déroulaient pas normalement et chercha à résister. Harch le poussa alors plus violemment et Jerry riposta par un direct qui fendit la lèvre de son bourreau.

— C'est ce qui mit le feu aux poudres, commenta McGee.

— Oui, ensuite ils se déchaînèrent contre lui.

Le tonnerre gronda et les lumières de l'hôpital vacillèrent. Susan crut qu'une force surnaturelle venait la forcer à remonter le temps.

— Ils le rouèrent de coups... il était à terre et ces odieux personnages s'acharnaient toujours sur lui.

Elle tremblait de plus en plus violemment.

— On aurait dit une harde de chiens sauvages qui

attaquent un intrus venant d'une autre meute. Je... je leur hurlais d'arrêter... mais ils ne m'entendaient pas. Finalement, Carl Jellicoe parut comprendre qu'ils étaient allés trop loin et recula, bientôt imité par Quince, puis Parker. Lorsque Harch s'arrêta à son tour, Jerry était inconscient...

Sa voix se cassa. Les événements semblaient s'être passés la veille.

— Du... sang coulait de son nez, de sa bouche... et d'une oreille. Bien que inconscient, il était agité de soubresauts. Je voulus...

— Poursuivez, Susan.

— Je voulus aller vers lui mais Harch me repoussa et me frappa. Il dit aux autres qu'ils iraient en prison et que leur avenir était fini... il leur dit aussi qu'ils devaient faire en sorte que personne n'apprenne ce qui s'était passé. Il voulait les convaincre d'achever Jerry, de m'éliminer et de faire disparaître nos corps dans un des nombreux avens de la caverne. Jellicoe, Parker et Quince, en partie dégrisés par la conscience de ce qu'ils venaient de faire, protestèrent quelques instants. Ils redoutaient autant de commettre deux meurtres que de nous laisser en vie. Harch leur reprocha leur lâcheté et décida de leur forcer la main. Il se retourna vers Jerry et... il...

Ce souvenir lui donnait la nausée.

McGee prit sa main.

— Il lui donna trois coups de pied... dans la tête. La dernière fois, le coup fit éclater le crâne de Jerry...

Mrs Baker frissonna.

A l'extérieur, les éclairs déchiraient le ciel et le tonnerre grondait. Les premières gouttes de pluie martelèrent les carreaux de la fenêtre.

— Je m'emparai d'une de leurs lampes torches et je m'enfuis, ajouta-t-elle. Ils s'attendaient à me voir chercher à quitter ces grottes mais je ne me dirigeai pas vers la sortie, sachant qu'ils m'y attendraient. Ils ne comprirent pas tout de suite que j'avais gagné les profondeurs de la caverne. Je suivis un couloir sinueux, glissai sur un éboulis abrupt et pénétrai dans une nouvelle salle, puis une autre encore. J'éteignis la lampe pour qu'ils ne voient pas sa clarté et poursuivis mon chemin dans une obscurité totale. J'avançai à tâtons jusqu'au moment où je trouvai un renfoncement dans la paroi : une petite cavité dissimulée par une stalagmite. Je m'y glissai, le plus profondément possible, et restai silencieuse. Harch et ses compagnons me cherchèrent pendant des heures avant de juger que j'avais dû parvenir à sortir de la caverne. J'attendis ainsi encore six ou huit heures, n'osant quitter mon refuge. Ce furent la soif et la claustrophobie qui me poussèrent hors de ces grottes.

La pluie martelait la fenêtre et trempait les arbres secoués par le vent.

— Seigneur! murmura Mrs Baker, livide. Ma pauvre enfant!

— Ont-ils été jugés? s'enquit McGee.

— Oui. Harch bénéficia de circonstances atténuantes; il était ivre et Jerry l'avait frappé le premier. Il fut condamné à cinq ans de détention.

— Seulement? s'exclama Mrs Baker.

— Je croyais qu'il resterait en prison jusqu'à la fin de ses jours, déclara Susan, aussi amère que le jour où elle avait entendu le juge prononcer sa sentence.

— Et les trois autres? demanda McGee.

— Ils furent reconnus coupables de coups et blessures et de complicité de meurtre, mais comme ils n'avaient jamais eu de démêlés avec la justice et qu'ils appartenaient à des familles respectables, ils bénéficièrent d'un sursis.

— C'est honteux! s'emporta Mrs Baker.

McGee tenait toujours la main de Susan et elle lui en était reconnaissante.

— Naturellement, ils furent sur-le-champ expulsés de Briarstead. Et, d'une étrange façon, le destin se chargea de punir Parker et Jellicoe. Ils parvinrent à achever leur année d'études dans un autre établissement mais après avoir découvert que pas une grande faculté de médecine importante n'acceptait les étudiants munis d'un casier judiciaire, ils adressèrent des demandes d'admission partout et réussirent à se faire admettre dans une petite université. Le jour où ils reçurent cette réponse positive, ils célébrèrent l'événement et burent au point d'être ivres morts. Ils furent tous deux tués lorsque Parker perdit le contrôle de sa voiture qui fit deux tonneaux. Je devrais avoir honte de le dire mais je fus soulagée et heureuse lorsque je l'appris.

— Je vous comprends, déclara Mrs Baker. Il n'y a pas de quoi en être honteuse.

— Et Randy Lee Quince? demanda McGee.

— Je n'entendis plus jamais parler de lui.

Deux coups de tonnerre rapprochés ébranlèrent les murs et, pendant un instant, Susan, McGee et Mrs Baker regardèrent la fenêtre que la pluie martelait avec toujours plus de violence.

— C'est une histoire horrible, horrible, commenta l'infirmière. Mais je ne vois pas le rapport avec votre évanouissement.

Ce fut McGee qui répondit :

— L'homme qui est sorti de l'ascenseur, juste comme vous passiez devant, n'est autre qu'un ancien membre de cette confrérie.

— C'est cela, confirma Susan.

— Harch ou Quince?

— Ernest Harch.

— Une coïncidence impensable, déclara McGee. Treize ans plus tard, et à l'autre bout des Etats-Unis.

— Vous avez pu vous tromper, suggéra Mrs Baker en fronçant les sourcils.

— Oh, non, rétorqua Susan. Je n'ai jamais oublié ce visage. Jamais.

— Cet homme ne s'appelle pas Harch, mais Richmond. Bill Richmond.

— Il a pu changer de nom.

— Je ne crois pas qu'un criminel soit autorisé à...

— Pas légalement, l'interrompit Susan, irritée par les doutes de l'infirmière.

— Pour quoi est-il soigné? demanda McGee à Mrs Baker.

— Le Dr Viteski procédera demain à une ablation de deux kystes situés dans la région lombaire du patient.

— Est-ce une intervention importante ?

— Oui. Ces kystes doivent le gêner considérablement.

— Il a été admis ce matin ?

— C'est exact. Il s'appelle Richmond.

— Il avait un autre nom, à l'époque, déclara Susan.

Mrs Baker retira ses lunettes et frotta l'arête de son nez.

— Quel âge avait ce Harch, lorsqu'il a tué Jerry ?

— Il achevait ses études : vingt et un ans.

— En ce cas, la question est réglée.

— Pourquoi ? demanda McGee.

— Bill Richmond ne doit pas avoir beaucoup plus d'une vingtaine d'années, répondit Mrs Baker tout en remettant ses lunettes.

— C'est impossible, rétorqua Susan.

— Il avait à peine huit ans lorsque Jerry Stein a été tué.

— Il a trente-quatre ans, à présent.

— En tout cas, il ne paraît pas avoir plus de vingt et un ans.

Les lumières vacillèrent à nouveau et le tonnerre gronda dans un ciel zébré d'éclats métalliques. McGee regarda Susan pour lui demander :

— Qu'avez-vous pensé exactement en le voyant sortir de la cabine ?

Elle réfléchit un instant, puis éprouva une sensation de vide au creux de l'estomac.

— Eh bien, qu'il ressemblait exactement à Ernest Harch.

— Tel qu'il était il y a treize ans ?

Susan hocha la tête avec gêne.

— Heu... oui.

— Or il devrait à présent paraître trente-quatre ans.

— Certaines personnes sont moins vulnérables que d'autres au passage du temps.

Bien que troublée, elle ne doutait toujours pas de l'identité de l'homme.

— C'est Harch.

— C'est un simple cas de ressemblance, avança Mrs Baker.

— Non, c'est lui. Je l'ai reconnu et il m'a reconnue. J'ai peur. C'est sur mon témoignage qu'il a été condamné. Si vous aviez vu son regard au tribunal...

Ils la fixèrent et elle crut se trouver à son tour dans le box des accusés. Elle soutint un instant leurs regards et baissa les yeux.

— Je vais jeter un coup d'œil au dossier de cet homme, proposa McGee. Au besoin, j'irai lui parler afin de tirer les choses au clair.

— Merci, murmura Susan, consciente que sa cause était sans espoir.

— S'il s'agit de Harch, nous assurerons votre protection. Et si ce n'est pas lui, vous vous sentirez rassurée.

Mais c'est lui, je vous dis!

Elle crut avoir crié mais elle avait gardé le silence. Elle hocha la tête.

— Je reviens dans quelques minutes. Est-ce que ça ira?

— Oui. Bien sûr.

Elle nota le regard qu'échangeaient le médecin et l'infirmière.

McGee sortit de la chambre.

— Tout sera bientôt tiré au clair, Susan, lui affirma Mrs Baker.

A l'extérieur, le tonnerre roulait.

La nuit allait tomber lorsque McGee revint.

— Il s'appelle bien Bill Richmond, lui affirma-t-il.

Susan resta assise, immobile et incrédule.

Ils étaient seuls dans la chambre. Mrs Baker venait de rentrer chez elle.

— Et il n'a que vingt et un ans.

— Ce n'est pas en consultant son dossier médical qu'il est possible de prouver quoi que ce soit. Il a pu mentir lors de son admission.

— Je me suis renseigné. Léon, le Dr Viteski, connaît les parents de Bill Richmond depuis vingt-cinq ans. Il a mis au monde leurs trois enfants dans cet hôpital.

Le doute commença à ébranler la ferme conviction de Susan.

— Léon soigne Bill Richmond depuis l'enfance. Il m'a confirmé qu'il n'avait que huit ans et qu'il vivait à Pine Wells lorsque Ernest Harch a tué Jerry Stein en Pennsylvanie.

— À trois mille miles de distance.

— Exactement.

Susan s'affaissa sous le poids de la lassitude et de l'inquiétude.

— Mais il lui ressemble si fort! Lorsqu'il est sorti de l'ascenseur et que j'ai vu son visage, ses yeux gris, j'aurais juré...

— Je suis sûr que vous n'auriez pas cédé à la panique sans raison. Je ne doute pas de cette ressemblance.

En dépit de la sympathie que lui inspirait McGee, Susan fut irritée par le ton de sa voix. Elle se redressa dans son lit et serra les poings.

— Ce n'est pas une simple ressemblance. Il est en tout point identique à Harch.

— Il y a longtemps que vous n'avez pas vu cet homme et vos souvenirs ont peut-être perdu de leur netteté.

— Ils ont le même poids, la même taille, la même conformation.

— Richmond à un type morphologique assez répandu.

— Ce sont les mêmes cheveux blonds, les mêmes traits, les mêmes yeux. Combien de gens ont des yeux d'un gris aussi clair? Bill Richmond et Ernest Harch sont absolument identiques. Si c'est un cas de simple ressemblance, il est surnaturel.

— D'accord, d'accord, fit McGee en levant la main pour l'interrompre. Ces deux hommes sont identiques, et le fait de les rencontrer aux deux extrémités de ce pays est une coïncidence surprenante. Mais ce n'est pas autre chose qu'une coïncidence.

Les mains de Susan étaient glacées. Elle les frotta l'une contre l'autre, dans l'espoir de les réchauffer.

— Puisqu'on aborde le sujet des coïncidences, je dois préciser que je partage l'opinion de Philip Marlowe, le détective privé des romans de Chandler...

— Marlowe, naturellement. Eh bien! que dit-il des coïncidences?

— « Laissez-moi étudier une coïncidence et je trouverai au moins deux personnes mêlées à une affaire pas très catholique. »

McGee fronça les sourcils et secoua la tête.

— Si ce genre de déclaration convient parfaitement à un personnage de roman policier, elle peut paraître relever de la paranoïa dans le cadre de la vie réelle, non?

Il avait raison et la colère de Susan s'estompa en même temps que ses forces. Elle s'adossa à l'oreiller pour demander:

— Deux personnes pourraient donc se ressembler à ce point?

— On dit que chacun de nous a son jumeau quelque part dans le monde, un *Doppelgänger*.

— C'est possible, fit Susan, toujours sceptique. Mais les choses sont différentes. Je jurerais qu'il m'a reconnue. Son sourire était si étrange. Et il m'a fait un *clin d'œil*!

Pour la première fois depuis son retour dans cette chambre, McGee sourit.

— Vraiment? Au cas où vous ne le sauriez pas, il arrive fréquemment qu'un homme fasse un clin d'œil à une femme qu'il trouve à son goût. Ne me dites pas que cela ne vous est jamais arrivé. Auriez-vous passé votre existence dans un couvent ou sur une île déserte?

— Pour l'instant, je ne suis guère séduisante. Mes cheveux auraient grand besoin d'un shampooing véritable, je suis squelettique et j'ai des cernes sous les yeux. Je ne peux espérer susciter la moindre passion dans mon état actuel.

— Vous n'êtes pas squelettique, vous faites simplement penser à Audrey Hepburn.

Susan résista à son charme, déterminée à aller au fond de sa pensée.

— En outre, il ne s'agissait pas du genre de clin d'œil auquel vous pensez.

— Ah, vous reconnaissez que vous êtes experte en la matière !

— Il s'agissait d'un clin d'œil plein de suffisance. Il n'avait rien d'aguichant. Il était glacial, agressif... et lourd de menaces.

Tout en parlant, elle prit conscience que son interprétation d'un clin d'œil banal pouvait paraître ridicule.

— Je ne vous demanderai pas de me décrire son expression dans le détail. Nous en aurions pour jusqu'à demain matin.

Susan succomba enfin au charme du médecin et sourit.

— Je dois vous paraître idiote, n'est-ce pas ?

— Surtout depuis que nous savons qu'il se nomme Bill Richmond et qu'il n'a que vingt et un ans.

— Ce clin d'œil était donc un simple clin d'œil, et tout le reste serait le fruit de mon imagination ?

— Vous n'êtes pas de cet avis ?

Elle soupira.

— Si, c'est probable. Veuillez m'excuser de vous avoir fait perdre votre temps. Je suis lasse, affaiblie et mes sens sont émoussés. La nuit dernière, j'ai rêvé de Harch et lorsque j'ai vu cet homme sortir de l'ascenseur, je... j'ai perdu la tête.

Il lui était pénible de l'admettre. D'habitude, Susan Kathleen Thorton ne cédait pas à la panique pour un rien. Depuis son enfance, elle n'avait pu compter que sur elle-même. Dans l'Antre du tonnerre, lorsque Ernest Harch avait tué Jerry, elle s'était enfuie et cachée... elle avait survécu grâce à sa présence d'esprit. Cette fois, elle avait cédé à la panique. Pire, elle l'avait fait devant témoins. Elle était confuse et embarrassée par sa conduite.

— A partir de maintenant, je serai une patiente modèle, promit-elle. J'avalerai mes médicaments sans faire la grimace et je terminerai mes repas afin de reprendre des forces le plus vite possible. Lorsque je pourrai sortir, vous aurez oublié le scandale que je viens de provoquer.

— Je regrette déjà que tous mes patients ne soient pas semblables à vous. Croyez-moi, il est beaucoup plus agréable de s'occuper d'une jolie femme que d'un vieillard acariâtre.

Après le départ de McGee, Susan loua un téléviseur. Elle regarda un des épisodes d'une série télévisée qu'elle avait déjà vue, puis le « Mary Tyler Moore Show ». En dépit des parasites dus à l'orage, elle suivit le journal de cinq heures d'une chaîne de Seattle et fut déçue de constater que la situation internationale n'avait pas évolué pendant son coma.

Elle dîna et, un peu plus tard, sonna une infirmière de l'équipe de nuit pour lui demander un en-cas. Une blonde nommée Marcia Edmonds lui apporta un sorbet agrémenté de quartiers de pêches.

Elle essayait de ne pas penser à Bill Richmond, le sosie de Harch. Elle tentait d'oublier l'Antre du tonnerre, ses trous de mémoire, sa faiblesse actuelle et tout ce qui pouvait encore la bouleverser. Elle s'efforçait d'être une bonne patiente et de se forger un moral à toute épreuve car elle avait hâte d'être à nouveau sur pied.

Cependant, un pressentiment vague mais terrifiant venait troubler par instants son esprit.

Chaque fois que, malgré elle, elle s'engageait sur cette voie douteuse, elle prenait sur elle pour se remettre à penser à des choses agréables. Elle se concentrait volontiers sur le Dr McGee, sur la grâce de ses mouvements, sur le timbre agréable de sa voix, sur sa sensibilité et l'étrange éclat de ses yeux bleus.

Elle avait pris le somnifère qu'il lui avait prescrit mais n'avait toujours pas trouvé le sommeil lorsque la pluie cessa de tomber. Le vent soufflait par rafales et secouait la fenêtre. Il murmurait, grondait, semblait flairer les interstices et tapait à la vitre.

Peut-être à cause du vent, Susan rêva d'une meute de chiens. Des chiens, puis des chacals et des loups. Des loups-garous qui perdaient leur forme canine pour se métamorphoser en hommes, redevenaient des loups, puis encore des hommes. Ils la poursuivaient, bondissaient vers elle ou l'attendaient, tapis dans les ténèbres. Lorsqu'ils avaient forme humaine, elle pouvait les reconnaître; c'étaient Jellicoe, Parker, Quince et Harch. Alors qu'elle s'enfuyait dans une forêt obscure, elle déboucha dans une clairière et le clair de lune lui révéla quatre loups occupés à déchiqueter le corps de Jerry Stein. Ils levèrent leurs yeux cruels vers elle et retroussèrent leurs babines sur leurs crocs tachés de sang et de lambeaux de chair. Ils la pourchassèrent dans des cavernes, entre des rangées de stalagmites et de stalactites, le long d'étroits couloirs. Ils la poursuivirent dans une immense prairie parsemée de fleurs sauvages et noires. Ils rôdaient dans les rues d'une ville déserte, humant sa trace, l'obligeant à s'enfuir de tous les refuges qu'elle pouvait trouver. Elle rêva même qu'une de ces créatures était parvenue à se glisser dans sa chambre d'hôpital : un loup ramassé sur lui-même dans l'ombre, une simple silhouette aux yeux cruels et luisants qui l'observaient depuis le pied du lit. Ensuite l'animal s'avançait dans la faible lueur de la veilleuse. Il subissait une nouvelle métamorphose et redevenait un homme. C'était Ernest Harch, vêtu d'un pyjama et d'une robe de chambre...

Je ne rêve plus! pensa-t-elle, pétrifiée par les doigts glacés de la peur.

... Et il se rapprocha d'elle, se baissa. Elle voulut hurler mais en fut incapable. Elle ne pouvait pas se mouvoir. Le visage de l'homme s'estompa et elle fit un effort pour rouvrir les yeux. Elle était à nouveau dans cette étrange prairie...

Il faut que je me réveille. Que je me réveille! Dire que ce sédatif était censé être léger. Léger. Mon Dieu!

Les traits de Harch se fondirent en une tache grise. La chambre disparut et elle se retrouva parmi les fleurs noires, les loups sur ses talons. C'était la pleine lune mais sa clarté était trop faible pour lui permettre de voir son chemin. Elle trébucha, tomba dans les fleurs et découvrit qu'elle venait de heurter le cadavre mutilé et à demi dévoré de Jerry Stein. Le loup réapparut au-dessus d'elle. Il gronda, découvrit ses crocs et abaissa son museau ruisselant de bave vers elle. Son mufle toucha sa joue. La tête de l'animal se métamorphosa et devint celle d'Ernest Harch. Le contact qu'elle sentait sur sa joue était désormais celui des doigts de l'homme. Son cœur se mit à battre si violemment qu'elle pensa qu'il allait éclater dans sa poitrine. Harch écarta la main et sourit. La prairie fleurie disparut. Elle rêvait qu'elle était à nouveau dans sa chambre d'hôpital...

Mais ce n'est pas un rêve. Harch est ici et il va me tuer.

... Et elle tenta en vain de s'asseoir. Elle voulut sonner une infirmière mais le bouton se trouvait à des années-lumière de sa main. Elle concentra ses forces et son bras parut s'allonger de façon surnaturelle. Il semblait bizarrement étiré, sa chair et ses os possédaient une incroyable élasticité. Ses doigts ne pouvaient toujours pas atteindre le bouton d'appel. Elle se retrouvait dans une région du Pays des Merveilles où les lois de la perspective ne s'appliquaient pas. Ici, ce qui était proche était lointain, et ce qui était lointain, proche. Sa confusion, due au sommeil et au soporifique, lui donnait la nausée. Elle aurait voulu savoir si elle était éveillée ou toujours plongée dans un profond sommeil. *Il y a longtemps*, dit Harch. Susan cilla et voulut le fixer, mais l'homme ne cessait d'apparaître pour disparaître aussitôt. Parfois, il avait des yeux de loup. *Croyais-tu parvenir à m'échapper éternellement?* lui murmura-t-il en se rapprochant encore. Son visage touchait presque celui de Susan et son haleine était fétide. Elle se demanda si le fait de pouvoir le sentir indiquait qu'elle était éveillée. En ce cas Harch était bien réel. *Croyais-tu parvenir à m'échapper éternellement?* Elle ne pouvait lui répondre, sa gorge était nouée et obstruée par une boule glacée impossible à cracher ou avaler. *Petite ordure*, fit Harch dont le sourire s'élargit. *Petite ordure, qu'éprouves-tu à présent? Ne regrettes-tu pas d'avoir témoigné contre moi? Hein? Je suis certain que tu regrettes.* Il eut un rire qui se changea en un grondement de loup puis redevint un rire. *Tu sais ce que je vais te faire?* Le visage s'estompa. Elle était à nouveau dans une caverne. Des fleurs noires poussaient dans la roche. Elle fuyait devant les loups et obliqua vers une salle latérale qui se transforma en une rue obscure. Un loup était assis sur le trottoir, sous un réverbère. *Tu sais ce que je vais te faire?* lui demandat-il. Susan poursuivit sa course.

Le lundi, elle s'éveilla à l'aube, épuisée et en nage. Elle se souvenait avoir rêvé de loups et d'Ernest Harch. Dans la clarté dure et grisâtre de cette matinée nuageuse, il lui semblait ridicule d'avoir cru que Harch avait réellement pu pénétrer dans sa chambre pendant la nuit. Elle était vivante et indemne. Elle avait fait un cauchemar. Un simple cauchemar.

5

Assistée d'une infirmière, Susan se lava et passa son pyjama vert. Une femme de service vint laver celui de soie bleue dans le lavabo et le mit à sécher derrière la porte du cabinet de toilette.

Le petit déjeuner était plus copieux que celui de la veille mais Susan le dévora sans pour autant se sentir rassasiée.

Un peu plus tard, Mrs Baker entra en compagnie du Dr McGee qui effectuait ses visites avant d'aller ouvrir son cabinet particulier de Willawauk. Avec l'aide de l'infirmière, il retira les bandages qui couvraient le front de Susan. Elle ne sentit qu'un ou deux picotements lorsqu'ils ôtèrent les points de suture.

McGee prit son menton dans sa main et étudia la cicatrice.

— Du beau travail, en toute modestie.

Mrs Baker tendit un miroir à Susan.

Elle fut agréablement surprise de constater que la balafre était moins importante qu'elle ne l'avait craint : une étroite bande rose et lisse de dix centimètres de long, hachurée de petites marques rouges à l'emplacement des points de suture.

— Je m'attendais à voir une large entaille sanglante, déclara Susan en levant la main à son front.

— Les marques laissées par les points de suture disparaîtront totalement, et la cicatrice se réduira. Lorsque les chairs seront raffermies, un bon chirurgien esthétique pourra, le cas échéant, éliminer le petit bourrelet si vous le trouvez disgracieux.

— Oh, je crois que ce ne sera pas nécessaire! J'avoue être soulagée de découvrir que je n'ai pas l'allure de la créature de Frankenstein.

Mrs Baker eut un rire.

— Vous auriez du mal à lui ressembler de toute façon!

Susan rougit et McGee en fut amusé.

Tout en secouant la tête, Mrs Baker prit les ciseaux et les bandes de gaze, puis elle quitta la chambre.

— Alors? s'enquit McGee. Prête à téléphoner à votre patron?

— Phil Gomez... je ne me souviens toujours pas de lui.

— Ça viendra, lui assura-t-il avant de regarder sa montre. Il est encore tôt mais peut-être est-il déjà à son bureau.

Il utilisa le combiné téléphonique posé sur la table de chevet pour demander à la standardiste d'appeler la Milestone, à Newport Beach, en Californie. Gomez était arrivé et il prit l'appel immédiatement.

McGee lui annonça que Susan était sortie du coma mais qu'elle avait quelques trous de mémoire; il insista sur le fait qu'il s'agissait d'un phénomène temporaire. Ensuite, il tendit le combiné à sa patiente.

Susan le prit comme s'il s'agissait d'un serpent. Si elle refusait de passer le reste de son existence avec un tel vide dans son esprit, elle se souvenait de ce qu'elle avait éprouvé la veille lorsque McGee lui avait parlé de la Milestone; elle avait eu la conviction inexplicable qu'il eût été préférable pour elle de ne jamais savoir en quoi consistait son travail. Le spectre de la peur s'était niché en elle et elle percevait à nouveau sa présence insidieuse.

— Allô ?

— Susan ? Est-ce bien vous ?

— Oui, c'est moi.

La voix de Gomez était haut perchée et amicale. Il parlait vite et ses mots se bousculaient.

— Susan, Dieu soit loué ! Je suis si heureux de vous entendre. Sincèrement. Nous étions tous tellement inquiets. Même Breckenridge. Qui aurait pu croire qu'*il* avait des sentiments humains ? Comment allez-vous ?

Le son de la voix n'éveilla en elle aucun souvenir.

Ils parlèrent pendant une dizaine de minutes et Gomez fit tout son possible pour l'aider à se remémorer son travail. La Milestone Corporation était une société privée qui effectuait des recherches pour ITT, IBM, Exxon et d'autres compagnies importantes. Il ajouta qu'elle travaillait — ou plutôt qu'elle avait travaillé — sur des applications du laser dans le domaine des télécommunications. Il décrivit son bureau, parla de ses amis et de ses collègues de travail : Eddie Gilroy, Ella Haversby, Tom Kavinsky, Anson Breckenridge et d'autres. Elle ne se souvenait de rien et la voix de Gomez trahit sa déception et son inquiétude. Il l'invita à le rappeler et lui suggéra de contacter également d'autres collègues de travail.

— Et ne vous inquiétez pas pour votre emploi, conclut-il.

— Merci, répondit-elle.

— Ne me remerciez pas. Vous êtes une de nos meilleures physiciennes et nous ne voulons pas vous perdre.

Lorsqu'elle eut enfin raccroché, McGee lui demanda :

— Alors ? Du nouveau ?

— Non, je ne me souviens toujours de rien au sujet de mon travail. Mais ce Phil Gomez semble très sympathique.

En fait, il paraissait si gentil et si bienveillant qu'elle était surprise d'avoir pu l'oublier aussi totalement.

Puis elle se demanda pourquoi elle avait senti croître

en elle une peur qui la gagnait comme une tumeur maligne pendant leur conversation. Malgré la jovialité de Gomez, le simple fait de penser à la Milestone la mettait mal à l'aise.

★

En fin de matinée, elle s'assit au bord du lit et balança ses jambes un moment.

Mrs Baker l'aida à s'installer dans le fauteuil roulant.

— Cette fois, vous vous déplacerez seule. Un tour complet de l'étage. Si vos bras vous font souffrir, demandez à une infirmière de vous ramener jusqu'ici.

— Je me sens en pleine forme. Je pourrais faire deux fois le tour de l'hôpital.

— J'avais deviné votre réponse. Un seul suffira pour l'instant. Vous pourrez remettre ça après le déjeuner et une bonne sieste.

— Vous me dorlotez trop. Je suis plus forte que vous ne le pensez.

— Vous êtes surtout incorrigible.

Susan rougit en se remémorant son humiliation de la veille, lorsque en dépit de ses affirmations, elle avait dû se faire aider par l'infirmière pour s'asseoir dans le fauteuil.

— Vous aviez dit que je ferais quelques pas aujourd'hui.

— Incorrigible, répéta Mrs Baker, mais cette fois en souriant.

— Je veux tout d'abord découvrir la vue qu'offre cette fenêtre.

Elle s'écarta de son lit, passa devant celui qui était inoccupé et arrêta le fauteuil à côté de la fenêtre. Jusque-là elle n'avait pu apercevoir que le ciel et la cime de quelques arbres. L'appui était haut et elle dut tendre le cou pour regarder au-dehors.

L'hôpital était bâti au sommet d'une des collines qui encadraient une petite vallée. Les pentes étaient couvertes de sapins, de pins, d'épicéas et d'autres essences. Plus bas, s'étendaient des prairies d'un vert émeraude.

La ville, qui occupait le fond de la vallée, étirait ses faubourgs jusque sur les versants. Ses maisons de brique, de pierre et de bois étaient entourées d'arbres, le long de rues tirées au cordeau. La journée était grise et morne et des nuages menaçants traversaient le ciel, mais l'agglomération paraissait sereine et agréable.

— C'est ravissant.

— N'est-ce pas? approuva Mrs Baker avant de soupirer : J'ai du travail. Lorsque vous aurez terminé votre promenade, sonnez. Et n'essayez pas de vous recoucher seule. Appelez-moi.

— Soyez tranquille.

Mrs Baker quitta la chambre et Susan demeura un moment devant la fenêtre pour admirer la vue.

Après quelques minutes, elle eut conscience que ce n'était pas la beauté du paysage qui la retenait dans cette pièce. Elle hésitait à sortir car elle avait peur. Peur de rencontrer Bill Richmond, le sosie de Harch. Peur qu'il ne lui adresse son sourire mauvais, qu'il ne porte sur elle ses yeux de glace et ne lui fasse un clin d'œil.

C'est complètement ridicule! pensa-t-elle avec colère. Ce n'est pas Ernest Harch, pas plus que le grand méchant loup. Il a treize ans de moins que Harch et s'appelle Bill Richmond. Il vient de Pine Wells et ne me connaît pas. Il est absurde de rester ici, paralysée par la terreur à l'idée de le rencontrer dans le couloir. Que m'arrive-t-il?

Honteuse d'elle-même, elle empoigna les roues de son fauteuil et le fit avancer en direction du couloir.

Elle n'avait pas parcouru le quart de la distance qu'elle avait escompté couvrir que ses muscles étaient déjà douloureux. Arrivée à l'intersection des deux barres du T, elle s'arrêta un moment pour masser ses bras et ses épaules d'une maigreur à faire peur.

Elle serra les dents et repartit, faisant pivoter le fauteuil dans le couloir principal. Toute son attention était concentrée sur l'effort nécessaire pour déplacer et manœuvrer son véhicule mais elle nota cependant l'homme et arrêta son fauteuil à moins de cinq mètres de lui. Elle resta à le fixer, bouche bée. Puis elle ferma les yeux et compta lentement jusqu'à trois, les rouvrit... il était toujours là, appuyé au comptoir, en conversation avec une infirmière.

Il mesurait approximativement un mètre quatre-vingt-cinq et avait des cheveux et des yeux bruns. Son visage était tout en longueur, comme son nez aux narines étroites, et son menton s'achevait en pointe. Il portait un pyjama blanc et une robe de chambre lie-de-vin. Mais, pour Susan, cet homme n'avait rien d'un patient ordinaire.

Elle avait craint de rencontrer Bill Richmond, le sosie de Harch, mais elle ne s'était pas attendue à cela.

Cet homme n'était autre que Randy Lee Quince.

Un autre des quatre membres de la confrérie.

Elle le fixait, abasourdie, incrédule et terrorisée. Elle s'attendait à le voir disparaître et priait le ciel qu'il ne soit lui aussi que le fruit de son imagination. Mais il refusait de s'évaporer dans les airs. Il demeurait devant elle, solide et bien réel.

Elle se demandait si elle devait l'affronter ou s'enfuir quand il pivota et s'éloigna sans la voir. Il entra dans la cinquième chambre après les ascenseurs, sur la gauche du couloir.

Elle parvint à prendre une inspiration et l'air qui pénétra dans ses poumons lui parut aussi glacé que celui des hauteurs de la sierra Nevada où elle allait parfois skier.

Pendant quelques secondes, elle crut qu'elle ne pourrait plus jamais se mouvoir. Elle se sentait devenue cassante et comme prise dans de la glace.

Une infirmière passa près d'elle. Ses semelles de caoutchouc crissaient à peine sur le sol.

Sans savoir pourquoi, ce bruit évoqua dans son esprit le cri des chauves-souris.

Des frissons glacés la parcoururent.

Il y avait des chauves-souris, dans l'Antre du tonnerre. Dérangées par la lueur des lampes et des bougies, elles n'avaient cessé de pousser des cris pendant que Harch et ses amis s'acharnaient sur Jerry, puis elles s'étaient envolées dans les ténèbres en même temps que Susan s'enfuyait, la heurtant sans cesse dans sa fuite.

L'infirmière qu'elle avait vue parler avec Quince nota sa présence et dut lire de la terreur dans son regard.

— Quelque chose ne va pas ?

Susan souffla. L'air expulsé était chaud contre ses dents et sur ses lèvres. Brusquement revenue à la vie, elle hocha la tête.

Les cris des chauves-souris décrurent peu à peu.

Elle fit avancer son fauteuil jusqu'au comptoir et releva les yeux vers la femme brune dont elle ignorait le nom.

— La personne avec laquelle vous parliez...

L'infirmière se pencha, pour demander :

— Le malade du 216 ?

— Oui, cet homme.

— Que voulez-vous savoir ?

— Il me semble le reconnaître mais je ne voudrais pas me ridiculiser si je fais erreur. Connaissez-vous son nom ?

— Naturellement. Peter Johnson. Un brave garçon, même s'il est un peu bavard et me fait perdre mon temps.

— Peter Johnson ? Vous êtes sûre qu'il ne s'appelle pas Randy Lee Quince ?

— Quince ? Non, c'est bien Peter Johnson, je suis formelle.

S'adressant plus à elle-même qu'à l'infirmière, Susan marmonna :

— Il y a treize ans, en Pennsylvanie... j'ai rencontré un jeune homme qui lui ressemblait trait pour trait.

— Il y a treize ans ? Alors, il y a erreur sur la personne. Peter n'a que dix-neuf ou vingt ans. A l'époque, il n'était qu'un petit garçon.

Tout d'abord sidérée, Susan prit conscience que l'homme qu'elle venait de voir était en effet très jeune. Il ressemblait à Randy Lee Quince tel qu'il avait été à l'époque, mais non pas tel qu'il devait être aujourd'hui. S'il s'agissait bien de Quince, il avait dû passer les treize années qui venaient de s'écouler en hibernation.

★

On lui servit un déjeuner plus consistant et Susan fut heureuse de ce changement de régime. Elle était impatiente de recouvrer ses forces et de quitter l'hôpital.

Pour faire plaisir à Mrs Baker, elle abaissa son lit, se coucha sur le flanc et feignit de dormir. Il lui fut bien sûr impossible de trouver le sommeil. Elle ne cessait de penser à Bill Richmond et à Peter Johnson.

Deux sosies! Et cela au même endroit et au même moment!

Quelles étaient les probabilités d'une telle coïncidence? Insignifiantes, pour ne pas dire nulles.

Non pas nulles, puisqu'elle avait vu les deux hommes. Il semblait peu probable que deux sosies des véritables Harch et Quince se soient fait admettre le même jour dans le même hôpital, et qu'elle s'y trouve également. Malgré tous ses efforts elle ne put trouver d'arguments pour étayer une telle hypothèse. Peut-être étaient-ce bien les deux hommes : ils avaient pu changer de nom, rester en contact pendant que Harch purgeait sa peine et se rendre ensuite ensemble dans cette ville de l'Oregon. Le hasard n'entrait plus en ligne de compte puisqu'ils étaient de vieux amis. Ils pouvaient peut-être même être tombés malades en même temps et avoir été admis le même jour dans cet hôpital : il s'agissait d'une nouvelle coïncidence, cela n'avait rien d'extraordinaire. Mais cette belle hypothèse s'effondrait dès qu'intervenait leur apparente jeunesse. Si l'un d'eux avait pu rester relativement insensible au poids des ans, le fait que ce phénomène touchât les deux hommes était tout simplement impensable.

Que reste-t-il? se demanda-t-elle. Deux sosies. La vieille théorie des *Doppelgänger*. Si ce ne sont que des doubles de Harch et de Quince, sont-ils ici par hasard ou dans un but précis? Quelqu'un veut-il avoir ma peau? Je suis en train de devenir folle!

Elle ouvrit les yeux et laissa son regard errer sur l'autre lit, sur le ciel gris métallique par la fenêtre. Elle avait froid et ramena les couvertures sur ses épaules.

Elle envisagea les autres possibilités.

Peut-être ressemblaient-ils moins à Harch et à Quince qu'elle ne le pensait. Selon McGee, l'image qu'elle gardait de leurs visages avait pu s'estomper avec le temps. Ces doubles n'étaient peut-être que le fruit de son imagination.

Elle ne put néanmoins s'en convaincre.

Pouvait-il s'agir des fils de Harch et de Quince ? Non. S'ils étaient trop jeunes pour être ces hommes eux-mêmes, ils étaient trop âgés pour être leurs enfants. Les assassins de Jerry Stein ne pouvaient avoir été pères à douze ou treize ans.

Comme elle venait d'évoquer la question des liens de parenté, elle se demanda si ces hommes pouvaient être les frères de Harch et de Quince. Elle ignorait tout d'eux, et si le frère de Quince était venu assister au procès, elle avait pu constater que ce dernier était plus âgé que lui de quelques années. Il était naturellement possible qu'il ait eu un frère cadet que ses parents avaient jugé préférable de laisser à la maison ce jour-là. Elle n'élimina pas cette possibilité. Ces hommes étaient peut-être les frères de ceux qui l'avaient terrorisée dans l'Antre du tonnerre.

Mais elle ne put s'en convaincre.

Il ne restait plus qu'une seule explication : la folie, les hallucinations de la folie. Son esprit malade utilisait peut-être des éléments anodins pour alimenter d'étranges fantasmes paranoïaques.

Mais, lorsqu'elle y réfléchissait, elle se trouvait au contraire trop équilibrée et trop pondérée. Elle enviait à ses semblables leur possibilité de se conduire irrationnellement et de céder parfois à leurs impulsions. Si elle avait su se laisser aller de temps en temps, elle ne serait pas passée à côté de tant de choses au cours de toutes ces années. Trop sobre, trop sérieuse, trop fourmi et pas assez cigale ? Sans aucun doute. Mais folle, démente ? Sûrement pas.

Elle était à court de réponses devant l'énigme posée par les *Doppelgänger*.

Elle jugea préférable de ne pas parler de Peter Johnson à Mrs Baker ou au Dr McGee. Elle craignait de passer pour... une folle.

Recroquevillée sous les couvertures, observant le ciel fuligineux, elle se demanda si elle ne devait pas tout simplement tenter d'oublier ces deux doubles.

★

L'après-midi, elle se leva et s'installa dans le fauteuil. Ses jambes manquèrent de la trahir au cours des deux ou trois secondes pendant lesquelles elles durent soutenir son poids. Prise d'étourdissements et en nage, elle parvint néanmoins à ses fins.

Mrs Baker entra presque au même instant et fronça les sourcils.

— Vous êtes-vous levée seule ?

— Je vous l'avais dit. Je suis plus forte que vous ne le pensez.

— Vous avez fait une imprudence.

— Oh, je n'ai pas eu la moindre difficulté.

— Alors, pourquoi transpirez-vous ainsi ?

Gênée, Susan passa la main sur son front moite.

— Vous méritez des réprimandes. Vous êtes entêtée, n'est-ce pas ?

— Moi ? entêtée ? répéta Susan en feignant la surprise. Absolument pas. J'ai de la suite dans les idées, c'est tout.

— J'ai dit « entêtée ». Bon sang, vous auriez pu glisser et vous casser un bras, une jambe ou autre chose ! Ah, si vous aviez vingt ans de moins, je vous donnerais une bonne fessée !

Susan éclata de rire.

Surprise par ses propres paroles, Mrs Baker hésita un instant et l'imita.

Le regard de Susan croisa celui de l'infirmière. Elles se sourirent et leur rire reprit de plus belle.

Enfin, Mrs Baker sécha ses yeux et déclara :

— Je n'arrive pas à croire que j'ai pu dire une chose pareille.

— Que vous me donneriez une fessée ?

— Vous devez éveiller en moi des instincts maternels.

— Il faut reconnaître que ce procédé est rarement employé par les membres du corps médical.

— Je suis heureuse que vous ne vous sentiez pas insultée.

— Et je suis heureuse de ne pas avoir vingt ans de moins.

Elles rirent de nouveau.

Deux minutes plus tard, Susan se propulsa dans le couloir pour prendre un peu d'exercice. Elle n'avait jamais été de meilleure humeur depuis son réveil du coma. Ces rires spontanés avec Mrs Baker avaient eu un merveilleux effet thérapeutique. Leur complicité inattendue avait rompu le sentiment de solitude de Susan et rendu l'hôpital moins sinistre.

Si ses bras la faisaient encore souffrir, elle était fermement décidée à se rendre à l'autre bout du couloir.

Elle ne redoutait plus de rencontrer Richmond et Johnson. Elle pensait être désormais capable de ne pas céder à la panique. En fait, elle espérait presque les croiser. Si elle les voyait de près, leur ressemblance stupéfiante avec Harch et Quince, s'avérerait sans doute moins frappante qu'elle ne l'avait tout d'abord pensé. Et s'ils restaient malgré tout des sosies parfaits de Harch et de Quince, le fait de leur parler, de faire leur connaissance, les rendrait probablement moins menaçants à ses yeux. Malgré la déclaration de Philip Marlowe, Susan souhaitait se convaincre qu'il s'agissait d'une simple coïncidence. L'autre solution était trop étrange et trop effrayante.

Elle atteignit la chambre 216 et s'arrêta devant la porte ouverte. Après avoir réuni tout son courage, elle fit avancer son fauteuil à l'intérieur de la pièce. En franchissant le seuil, elle fit un effort pour sourire et répéta ce qu'elle avait prévu de lui dire : *Je vous ai vu dans le couloir, ce matin. Vous ressemblez tellement à un vieil ami que je n'ai pu m'empêcher de venir...*

Mais Peter Johnson ne se trouvait pas dans sa chambre, et l'homme qui occupait l'autre lit lui déclara :

— Pete ? Il est en bas, à la radiologie.

— Oh, alors je repasserai peut-être un peu plus tard !

— Un message ?

— Non, c'est sans importance.

De retour dans le couloir, elle envisagea de demander à une infirmière le numéro de la chambre de Bill Richmond. Puis elle se souvint que cet homme venait de subir une intervention chirurgicale et que le moment était sans doute mal choisi pour lui rendre visite.

Lorsque Susan regagna sa propre chambre, Mrs Baker tirait le rideau de séparation qui isolait totalement le second lit.

— Vous avez une camarade, déclara-t-elle.

— Oh ! tant mieux. Elle me tiendra compagnie.

— Malheureusement, Jessica Seiffert passera probablement son temps à dormir. Elle est déjà sous sédatifs.

— Sa maladie est-elle grave ?

Mrs Baker soupira et hocha la tête.

— Cancer. Ses jours sont comptés.

— Oh, je suis désolée !

— Elle ne doit pas avoir beaucoup de regrets. Jessica a soixante-dix-huit ans et n'a jamais eu à se plaindre de l'existence.

— Vous la connaissez ?

— Elle vit à Willawauk. Mais, et vous ? Vous sentez-vous d'attaque pour faire quelques pas ?

— Certainement.

L'infirmière poussa le fauteuil jusqu'au lit de Susan.

— En vous levant, tenez-vous au montant avec votre main droite. Appuyez la gauche sur mon épaule. Nous ferons le tour du lit.

D'abord tremblante et hésitante, Susan reprit confiance en elle un peu plus à chaque pas. Si elle n'aurait pu défier personne à la course, pas même cette pauvre Jessica Seiffert, elle sentait ses muscles bouger et elle avait l'impression d'avoir retrouvé sa liberté de mouvement.

Elles atteignirent l'autre côté du lit.

— C'est parfait. A présent, recouchez-vous, dit Mrs Baker.

— Laissez-moi me reposer un instant et retournons de l'autre côté.

— Vous allez vous épuiser.

— J'y parviendrai. Je ne suis pas fatiguée.

— En êtes-vous bien sûre?

— Je n'oserais pas vous mentir. Vous me donneriez une fessée.

L'infirmière sourit.

— Ne l'oubliez pas.

Elles attendirent que Susan eût assez de forces pour regagner l'autre côté, et les regards des deux femmes se portèrent sur le rideau tiré autour du second lit.

— A-t-elle de la famille? s'enquit Susan.

— Pas vraiment. Aucun proche parent.

— Ce doit être épouvantable.

— Quoi?

— De mourir seule.

— Inutile de murmurer, elle ne peut vous entendre. Elle a bien pris la chose. Seule sa vanité a eu à en souffrir. Le cancer l'a rongée et rendue squelettique. Elle a toujours été fière de sa beauté, aussi sa déchéance physique l'affecte-t-elle plus encore que sa mort prochaine. Elle a interdit à ses amis de venir lui rendre visite. Elle veut laisser d'elle le souvenir de la femme qu'elle a été. Elle n'accepte d'être vue que par les médecins ou les infirmières. Elle est sous sédatifs, mais si elle s'éveillait et s'apercevait que le rideau est ouvert, elle en serait bouleversée.

— Pauvre femme...

— Nous devons tous y passer, tôt ou tard. Et elle a vécu plus longtemps que bien d'autres.

Elles contournèrent à nouveau le lit, puis Susan s'allongea et s'adossa avec soulagement aux oreillers.

— Avez-vous faim? s'enquit Mrs Baker.

— Puisque vous m'y faites penser, je suis affamée.

— Parfait, je vais vous apporter quelque chose.

Susan redressa le lit en position assise.

— La télévision ne risque-t-elle pas d'incommoder Mrs Seiffert?

— Absolument pas. Elle ne s'en rendra même pas

compte. Et si elle s'éveille, elle voudra peut-être la regarder elle aussi.

Mrs Baker sortit de la chambre et Susan utilisa la télécommande. Elle changea de chaîne jusqu'au moment où elle trouva un vieux film qui venait de commencer : *Madame porte la culotte*, avec Spencer Tracy et Katharine Hepburn. Elle l'avait déjà vu mais c'était un de ces classiques que l'on ne peut se lasser de revoir.

Cependant, elle éprouvait quelque peine à suivre. Ses yeux se portaient régulièrement sur l'autre lit dont les rideaux tirés la mettaient mal à l'aise.

Ce n'est pas le rideau lui-même, bien sûr, pensa-t-elle. Mais le fait de se trouver dans la même chambre qu'une femme à l'agonie.

Elle fixait toujours le rideau.

Non. Non, ce n'était pas la présence de la mort qui l'inquiétait. C'était autre chose, qu'elle ne parvenait pas à définir.

Le film fut interrompu par un spot publicitaire et Susan en profita pour couper le son.

Une chape de silence était tombée sur la pièce, rien ne bougeait.

Le rideau restait immobile, aucun souffle d'air ne le faisait frémir.

— Mrs Seiffert ?

Pas de réponse.

Mrs Baker lui apporta une glace à la vanille décorée d'une garniture de myrtilles.

— Qu'en dites-vous ? demanda-t-elle en posant le plateau sur la table de lit, qu'elle fit pivoter devant Susan.

— Enorme. Je n'en viendrai jamais à bout.

— Bien sûr que si. Vous êtes sur la voie de la guérison et votre appétit vous surprendra pendant une ou deux semaines. (Elle tapota ses cheveux gris et annonça :) J'ai terminé pour aujourd'hui et j'ai hâte de rentrer chez moi pour me faire belle. Ce soir, je suis invitée. Oh, seulement pour une partie de bowling et un hamburger, mais cet homme est vraiment formidable. Il est bûcheron et du genre « armoire à glace », vous voyez ce que je veux dire ? J'aimerais que vous puissiez voir ses mains! Je n'en ai jamais vu d'aussi grosses, dures et calleuses, mais il est plus doux qu'un agneau.

Susan eut un sourire.

— C'est une belle soirée qui vous attend!

— C'est garanti, répondit Mrs Baker qui était déjà sur le seuil.

— Heu... avant de partir...

— Oui, Susan, de quoi avez-vous besoin?

— Vous ne voudriez pas jeter un coup d'œil à Mrs Seiffert? (Mrs Baker parut déconcertée.) Eh bien, c'est seulement... elle est si silencieuse que... je me suis demandé...

Mrs Baker gagna le second lit, écarta l'extrémité du rideau et le laissa retomber.

Susan essaya de voir Mrs Seiffert mais le dos de l'infirmière lui masquait l'ouverture.

Elle reporta son regard sur Tracy et Hepburn qui gesticulaient en silence. Elle mangea une cuillerée de glace puis fixa à nouveau le rideau.

— Détendez-vous, Susan, lui dit Mrs Baker. Elle n'est pas morte. Elle dort comme un bébé.

— Oh!...

— Et tâchez de ne pas trop penser à elle, d'accord? Elle ne mourra pas dans cette chambre. Quand son état sera désespéré, nous la transporterons au service des grands malades. C'est là-bas que ça se passera, compris?

— Compris, répéta Susan, avec un hochement de tête docile.

— Parfait. Maintenant, mangez votre glace. Je vous verrai demain matin.

Après le départ de Thelma Baker, Susan remit le son du téléviseur, mangea sa glace et tenta de ne pas tourner les yeux vers l'autre lit.

La promenade et la crème glacée eurent finalement raison de Susan qui s'endormit avant la fin de *Madame porte la culotte.*

Elle rêva qu'elle était en pyjama et qu'elle avait un bandage autour de la tête. Elle se tenait dans une salle remplie de spectateurs vêtus d'étranges costumes et qui participaient à un jeu télévisé, « Marché conclu ». Monty Hall, le célèbre animateur, s'adressait à elle avec un enthousiasme sirupeux : « Alors, Susan, voulez-vous garder les mille dollars que vous avez gagnés, ou les échanger contre le cadeau-mystère qui se trouve derrière le rideau numéro un ? » Susan parcourait le plateau du regard et notait que les trois box habituels avaient été remplacés par des lits d'hôpital dissimulés par des rideaux de séparation. « Je garde les mille dollars », disait-elle, et Monty Hall lui demandait : « Oh, Susan, êtes-vous certaine de ne pas le regretter par la suite ? »

« Je garde les mille dollars », insistait-elle, et Monty Hall s'adressait à l'assistance en découvrant ses dents blanches. « Qu'en pensez-vous, chers télespectateurs ? A-t-elle raison de se contenter de mille dollars en cette période d'inflation galopante, ou bien devrait-elle choisir le cadeau-mystère qui se trouve derrière le rideau numéro un ? » Les spectateurs rugissaient d'une seule voix : « Le cadeau ! Le cadeau ! » Susan secouait la tête et répétait : « Je ne veux pas ce qu'il y a derrière le rideau. » Monty Hall ne ressemblait plus à Monty Hall, son visage avait pris un aspect satanique avec des yeux menaçants et une bouche tordue, il lui arrachait les mille dollars des mains et lui disait : « Tirez le rideau, Susan, c'est le prix que vous méritez. Regardez ce qui se trouve derrière le rideau numéro un ! » La tenture qui dissimulait le lit numéro un était tirée. Deux hommes en pyjama d'hôpital étaient assis au bord du matelas. Les faisceaux des projecteurs se reflétaient sur les lames tranchantes des scalpels qu'ils tenaient dans leurs mains. Harch et Quince se levaient et s'avançaient vers Susan. Une ovation s'élevait de l'assistance qui applaudissait à tout rompre.

Quelques minutes après son éveil, le téléphone sonna. Elle décrocha le combiné.

— Allô ?

— Susan ?

— Oui.

— Mon Dieu, j'ai été si heureuse d'apprendre que vous étiez sortie du coma.

— Désolée, mais... heu... je ne vois pas qui vous êtes.

— C'est *moi.* Franny.

— Franny?

— Franny Pascarelli, votre voisine.

— Oh, Franny. Bien sûr.

La femme hésita avant de dire :

— Vous... heu... vous vous souvenez de moi, n'est-ce pas?

— Evidemment, mais je n'avais pas reconnu votre voix.

— On m'a parlé d'une amnésie.

— Le pire est passé.

— Dieu soit loué!

— Et vous, comment allez-vous?

— Je poursuis un éternel combat contre les kilos superflus. Mais quand je pense à ce que vous avez vécu! Comment allez-vous?

— De mieux en mieux.

— Vos collègues de travail... ils craignaient pour votre vie. Nous étions tous *fous* d'inquiétude. Mais ce matin Mr. Gomez m'a téléphoné pour m'apprendre que vous alliez bien. Enfin, je voulais surtout vous dire de ne pas vous inquiéter pour votre maison et tout ça...

— Je suis heureuse de vous avoir pour voisine, Franny.

— Vous en auriez fait autant pour moi.

Elles parlèrent encore quelques minutes et lorsque Susan raccrocha elle était heureuse d'avoir enfin rétabli un contact avec un passé qu'elle avait craint de perdre à jamais. Avec Phil Gomez, les choses avaient été différentes car il n'était resté pour elle qu'une voix sans visage. Mais elle se rappelait cette femme boulotte qui était sa voisine, et cela faisait toute la différence. Non pas qu'elles aient été des amies intimes mais parler à Franny venait de lui rappeler qu'un autre monde existait au-delà des murs de cet hôpital, et qu'elle finirait par le regagner. Chose paradoxale, cette conversation accrut sa sensation de solitude.

★

McGee passa la voir peu avant le déjeuner. Il portait un pantalon bleu, une chemise rouge à carreaux et un sweater bleu sous sa blouse ouverte. Il était si mince et si séduisant qu'il semblait sortir d'un magazine de mode pour hommes.

Il lui apportait une boîte de chocolats et quelques livres de poche.

— Il ne fallait pas, dit-elle en acceptant les cadeaux.

— Ce n'est pas grand-chose, et j'y tenais.

— Eh bien, merci.

— En outre, ce sont des éléments de la cure. Les chocolats vous feront reprendre du poids et les bouquins vous distrairont. Comme vous m'aviez parlé de Chandler, hier, j'ai pensé que vous deviez aimer les romans policiers.

Il tira une chaise près du lit et ils parlèrent pendant près de vingt minutes de ses promenades, de son appétit, de ses trous de mémoire et de sujets plus personnels comme leurs goûts en matière de livres, de cuisine et de films.

Elle ne lui parla pas de Peter Johnson, le sosie de Quince, qu'elle avait vu la veille. Deux doubles absolument identiques ? McGee se serait probablement demandé si le problème n'était pas d'ordre psychique, et elle ne tenait pas à ce qu'il la croie... folle.

Il était d'ailleurs possible que tout ne soit dû qu'à son imagination. Si ses doutes sur sa santé mentale n'étaient pas très ancrés, du moins existaient-ils tout de même.

McGee se leva pour partir et elle lui déclara :

— Je me demande quand vous consacrez du temps à votre vie privée, compte tenu des heures que vous passez auprès de vos patients.

— Je reste moins longtemps avec les autres. Votre cas est spécial.

— Les amnésiques sont donc si rares ?

Il sourit et ses yeux bleus semblaient pleins de tendresse.

— Si je m'intéresse à vous, ce n'est pas uniquement à cause de votre amnésie.

Elle se demanda s'il essayait simplement de lui remonter le moral ou s'il la trouvait attirante. Comment aurait-il pu la trouver séduisante dans son état actuel ? Chaque fois qu'elle se regardait dans le miroir, elle pensait à un chien mouillé. Il se montrait galant par déformation professionnelle.

— Votre compagne de chambre ne vous ennuie pas ? murmura-t-il sur un ton de conspirateur.

Susan adressa un regard au rideau.

— Silencieuse comme une tombe.

— Parfait. Elle connaît donc un sommeil paisible. Je ne peux rien pour elle, hormis lui éviter des souffrances inutiles.

— Oh, elle est votre patiente ?

— Oui. Une femme charmante. Elle aurait mérité une fin plus rapide.

Il gagna l'autre lit et disparut derrière le rideau. Cette fois encore, Susan ne put entrevoir Mrs Seiffert.

— Bonjour, Jessie, dit McGee, dissimulé par le rideau. Comment vous sentez-vous, aujourd'hui ?

Susan entendit un murmure presque inaudible, trop faible pour qu'elle pût seulement identifier une voix humaine.

Elle écouta le monologue de McGee pendant une ou deux minutes, puis il y eut un long silence. Lorsqu'il écarta le rideau pour revenir vers elle, elle tendit le cou mais la toile retomba avant qu'elle ait pu entrevoir la malade.

— C'est une femme forte, dit-il avec admiration. Elle me fait penser à vous.

— C'est absurde. Je ne suis pas forte. Quand je me suis levée, ce matin, j'ai dû m'agripper à Mrs Baker et nous avons failli tomber toutes les deux.

— Je parlais de la force de caractère.

— Je me sens molle comme une chique.

Ses compliments l'embarrassaient. Lui faisait-il la

cour ou voulait-il simplement être gentil? Elle décida de changer de sujet.

— Si vous écartiez ce rideau, Mrs Seiffert pourrait regarder la télévision.

— Elle s'est endormie pendant que je lui parlais.

— Mais, si elle se réveille...

— Elle ne veut pas qu'on ouvre le rideau. Elle a honte de son apparence.

— Mrs Baker m'en a parlé mais je suis sûre de pouvoir la réconforter.

— Je n'en doute pas mais...

— Rester dans un lit à longueur de temps, coupée du monde extérieur, doit être épouvantable. Regarder la télé la distrairait.

McGee prit sa main.

— Susan, je sais que vous voulez bien faire mais elle est mourante. Elle préfère peut-être méditer plutôt que de regarder un nouvel épisode de « Dallas » ou de « Dynastie ».

Susan savait qu'il avait raison. Regarder la télévision ne pouvait être d'aucun secours pour quelqu'un qui allait mourir et qui oscillait entre un sommeil artificiel et une douleur intolérable.

— Je ne voulais pas...

— J'en suis persuadé. Laissez-la dormir et cessez de vous inquiéter à son sujet.

Il serra la main de Susan, la caressa doucement et la lâcha.

Elle comprit qu'il se demandait s'il devait ou non se baisser pour déposer un baiser sur sa joue. Il allait le faire et se reprit comme s'il était aussi incertain des sentiments de Susan qu'elle l'était des siens. Mais peut-être avait-elle tout imaginé?

— Dormez bien.

— N'ayez crainte.

Il gagna la porte, s'arrêta sur le seuil et se retourna une dernière fois sur elle.

— Au fait, je vous ai prescrit une séance de rééducation. Demain matin un aide-soignant viendra vous chercher, juste après votre petit déjeuner.

Mrs Seiffert ne pouvait se nourrir seule. Une infirmière vint l'alimenter, toujours derrière le rideau fermé.

Susan mangea et lut un roman, ce qui lui permit d'oublier les sosies de Harch et de Quince.

Plus tard, elle gagna le cabinet de toilette d'un pas las en s'appuyant au mur, puis elle regagna son lit. Le retour lui parut deux fois plus long que l'aller.

L'infirmière de nuit lui apporta un somnifère. Susan savait qu'elle n'en avait pas besoin mais le prit néanmoins. Peu après, elle dormait profondément...

Quand une voix la tira de son sommeil. Elle se redressa brusquement.

— *Susan... Susan... Susan...*

Son cœur s'était emballé. La voix avait un timbre surnaturel.

La veilleuse donnait une faible lumière mais la chambre n'était pas totalement obscure. Aussi loin qu'elle pouvait voir, elle ne distinguait personne.

Elle attendit pour entendre à nouveau son nom.

Le silence était total.

— Qui est là ? demanda-t-elle enfin en scrutant les ténèbres.

Personne ne répondit.

Elle chassa les derniers vestiges de sommeil et s'aperçut que la voix s'était élevée sur sa gauche, du lit dissimulé par le rideau, et qu'elle avait un timbre masculin.

Dans la pénombre, le voile blanc reflétait la faible lumière de la veilleuse et miroitait comme un nuage de phosphore.

— Il y a quelqu'un ? demanda-t-elle.

Le silence.

— Mrs Seiffert ?

Le rideau restait immobile.

Rien ne bougeait.

Le cadran lumineux du réveil de la table de chevet lui apprit qu'il était 3 h 42 du matin.

Susan hésita un instant et pressa l'interrupteur de la lampe de chevet. La clarté blessa ses yeux et elle éteignit dès qu'elle fut bien sûre que personne ne se dissimulait dans la chambre. En pleine lumière, le lit de Jessica Seiffert paraissait moins menaçant.

Les ombres reprirent leur place.

J'ai dû rêver, pensa-t-elle. Cette voix m'appelait dans un songe.

Mais ce murmure n'avait rien eu d'onirique.

Elle chercha à tâtons la commande du lit et le redressa pour s'asseoir. Pendant un moment, elle écouta dans le noir.

Elle ne pensait pas pouvoir se rendormir. Cette voix étrange l'avait ramenée à la présence des sosies de Harch et de Quince, et c'était largement suffisant pour alimenter une insomnie. Le somnifère fit néanmoins son effet et ses paupières se refermèrent.

6

Le mardi matin, un orage éclata brusquement, les coups de tonnerre ébranlèrent tout l'hôpital et la pluie se mit à tomber à seaux.

Le rideau du second lit dissimulait la fenêtre à Susan mais elle entendait les grondements de la tempête et pouvait voir les zébrures blanches des éclairs. De grosses gouttes de pluie martelaient la vitre comme une grêle infernale.

Elle prit un petit déjeuner consistant composé de céréales, de tartines, de jus de fruits et d'un petit pain; ensuite elle se rendit dans le cabinet de toilette d'un pas plus assuré que la veille puis se réinstalla dans son lit avec un nouveau roman.

Elle n'avait lu que quelques pages lorsque deux aides-soignants arrivèrent avec un chariot.

— On vous attend dans la salle de rééducation, miss Thorton. Et nous sommes chargés de vous descendre.

Elle posa son livre, releva les yeux... et un courant d'air glacial s'abattit sur sa nuque.

Ils portaient les blouses du personnel de l'hôpital mais n'étaient pas de simples aides-soignants.

Le premier, celui qui avait parlé, mesurait à peu près un mètre soixante-dix, ses cheveux étaient d'un blond sale, son visage rond avec une fossette au menton et de petits yeux porcins. L'autre mesurait dix centimètres de plus, il avait des yeux noisette et une peau claire semée de taches de rousseur. S'il n'était pas beau, il avait une apparence agréable et ses traits révélaient ses origines irlandaises.

Le premier s'appelait Carl Jellicoe.

Le roux était Herbert Parker.

Les derniers des quatre membres de la confrérie de l'Antre du tonnerre, les amis de Harch et de Quince.

C'était impossible. Ces créatures sortaient d'un cauchemar et ne pouvaient s'extraire de la réalité.

Mais Susan était bien réveillée. Et les deux hommes se trouvaient devant elle, bien réels.

Le tonnerre roula dans le ciel.

— Sale temps, pas vrai ? commenta Jellicoe.

Parker poussa le chariot et l'arrêta contre le lit de Susan.

Les deux hommes souriaient.

Elle prit conscience qu'ils étaient jeunes, vingt ou vingt et un ans. Comme les deux autres, ils n'avaient pas été affectés par le passage des ans.

Deux *nouveaux* sosies ? Et ils apparaissaient en même temps ? Et ils étaient tous deux employés comme aides-soignants dans cet hôpital ? Non. C'était ridicule. Absurde. Les probabilités d'une telle coïncidence étaient inexistantes.

Il s'agissait bel et bien des originaux : Jellicoe et Parker, et non pas de simples sosies.

Et, avec une vertigineuse sensation de vide au creux de l'estomac, elle se souvint que Jellicoe et Parker étaient morts.

Ils étaient *morts*, bon sang !

Néanmoins ils se trouvaient devant elle et lui souriaient.

La folie.

— Non! s'exclama Susan en reculant dans son lit. Je refuse de vous suivre!

Jellicoe feignit la surprise comme s'il ne savait pas qu'elle était terrifiée, comme s'il ne comprenait pas ce qu'elle voulait dire; il regarda Parker et lui demanda :

— Je croyais qu'il fallait passer prendre miss Thorton, chambre 208?

Parker sortit un bout de papier de la poche de sa chemise, le déplia et le lut :

— C'est bien ça. Thorton, au 208.

Susan ne se serait pas crue capable de reconnaître les voix de Jellicoe et de Parker après tant d'années. Elle ne les avait entendues que la nuit où ils avaient battu à mort Jerry Stein. Lors du procès, Jellicoe n'avait pas dit un mot et Parker s'était montré fort peu prolixe. En fait, elle n'avait pas reconnu la voix du premier. Mais lorsque Parker lut le bout de papier, elle eut un sursaut de surprise. Cet homme parlait avec un accent de Boston qu'elle avait presque oublié.

Il ressemblait à Parker. Il avait la voix de Parker. Il *devait* être Parker.

Mais Herbert Parker était mort, enterré et probablement décomposé depuis longtemps!

Ils lui adressaient des regards étranges.

Elle aurait voulu se tourner vers la table de chevet pour voir s'il s'y trouvait un objet susceptible de lui servir de projectile mais elle n'osait détourner les yeux.

— Votre médecin ne vous a donc pas avertie? demanda Jellicoe.

— Sortez d'ici, fit-elle d'une voix tremblante. Sortez!

Les deux hommes se regardèrent.

Des éclairs déchirèrent les nuages et projetèrent sur les murs des motifs stroboscopiques d'ombre et de lumière. Cette clarté surnaturelle métamorphosa les traits de Jellicoe et ses yeux devinrent des cavernes au fond desquelles luisait un point de métal chauffé à blanc.

— Vous n'avez pas à vous inquiéter, lui dit Parker. Ce ne sera pas douloureux.

— Exact, approuva Jellicoe, dont le visage porcin s'ouvrit en un large sourire.

Il s'avança vers Susan qui hurla :

— Sortez ! Sortez ! Hors de cette chambre !

Jellicoe sursauta et recula.

Susan tremblait. Chaque battement de son cœur résonnait comme un coup de gong dans une salle vide.

Si elle leur permettait de l'emmener, elle ne regagnerait plus jamais cette chambre. Elle le savait. Elle le *savait*.

— Si vous approchez, je vous arrache les yeux !

Jellicoe se tourna vers son compagnon.

— Mieux vaut aller chercher une infirmière.

Parker quitta rapidement la chambre.

Les lumières vacillèrent, s'éteignirent, et pendant un instant, seule la piètre lueur du ciel couvert éclaira la pièce. Puis l'électricité revint et Jellicoe porta ses petits yeux rapprochés sur Susan. Il lui adressa un sourire qui la glaça.

— Calmez-vous, d'accord ? Détendez-vous.

— N'approchez pas !

— Je ne vous toucherai pas, restez calme. Personne ne vous veut du mal. Nous sommes tous vos amis.

— Bon Dieu, ne feignez pas de croire que je suis folle ! s'emporta-t-elle, à la fois terrifiée et furieuse. Vous savez que je ne suis pas cinglée.

Il la fixa sans mot dire mais elle lut de l'ironie dans son regard et un sourire de satisfaction releva les commissures de ses lèvres.

— Reculez ! N'approchez pas de mon lit !

Jellicoe regagna le seuil de la chambre mais n'en sortit pas.

Les battements du cœur de Susan étaient si assourdissants qu'ils rivalisaient avec les coups de tonnerre.

Chaque inspiration se bloquait dans sa gorge et devait être libérée au prix d'un effort de volonté surhumain.

Jellicoe l'observait.

C'est impossible, se dit-elle. Je suis cartésienne, je suis une scientifique. Je ne crois pas aux miracles ou au surnaturel. Les spectres n'existent pas. Les morts ne reviennent pas à la vie !

Jellicoe l'observait.

Elle s'emporta contre la faiblesse de son corps. Même si l'occasion de prendre la fuite se présentait, elle ne pourrait faire que quelques pas. Elle n'avait aucune chance contre les deux hommes dans une lutte.

Herbert Parker finit par revenir avec une infirmière blonde au visage de fouine. Susan ne la connaissait pas.

— Qu'est-ce qui se passe, ici ? demanda-t-elle. Miss Thorton, pourquoi tout ce tapage ?

— Ces hommes... ils me veulent du mal !

— Ils désirent simplement vous conduire au service de rééducation, au rez-de-chaussée, répondit la femme qui avait gagné le lit.

— Vous ne comprenez pas.

Susan se demandait comment lui expliquer la situation sans paraître complètement folle.

— Elle a menacé de nous arracher les yeux, précisa Parker, depuis le seuil.

Jellicoe s'était approché. Il était près du pied du lit, trop près.

— Reculez, sale type, cracha Susan.

Il l'ignora et Susan s'adressa à la femme.

— Dites-lui de reculer. Vous ne comprenez donc pas ! J'ai d'excellentes raisons d'avoir peur !

— Personne ne vous veut du mal, dit l'infirmière.

— Nous sommes tous vos amis, surenchérit Jellicoe.

— Susan, savez-vous où vous êtes ? demanda la femme sur un ton qu'elle ne devait employer que pour s'adresser aux petits enfants, aux vieillards et aux malades mentaux.

— Oh, je le sais ! s'emporta Susan. Je me trouve à l'hôpital du comté de Willawauk. J'ai eu un accident et je suis restée trois semaines dans le coma. Mais je ne fais pas une rechute. Je n'ai pas d'hallucinations. Ces hommes sont...

— Susan, voudriez-vous me faire plaisir ? demanda l'infirmière d'une voix sirupeuse. Ne criez pas. Si vous parliez plus doucement et si vous repreniez votre respiration, je suis sûre que ça irait mieux. Inspirez profondément et essayez de vous détendre.

— Seigneur! s'exclama Susan, enragée de ne pouvoir s'enfuir.

— Susan, vous avez besoin d'un sédatif.

L'infirmière leva la main. Elle tenait un tampon de coton et une seringue hypodermique emplie d'un liquide ambré.

— Non, protesta Susan en secouant la tête.

— Ceci vous détendra.

— Non!

— Ça ne fait pas mal, Susan.

— Ecartez-vous!

L'infirmière se pencha vers elle.

Susan saisit le livre qu'elle avait commencé à lire et le lança au visage de la femme.

L'infirmière recula d'un pas et pivota vers Jellicoe.

— Vous pouvez m'aider?

— Naturellement.

— N'approchez pas, le menaça Susan.

Jellicoe commençait à contourner le lit.

Susan saisit un verre sur la table de chevet et le lança à la tête de l'homme.

Il se baissa et le verre se brisa contre le mur.

Susan chercha un autre projectile.

Jellicoe bondit vers elle et la saisit par les poignets. Il était fort et, même si elle avait été en pleine possession de ses moyens, Susan n'aurait pu se dégager de l'étau de ses doigts.

— Laissez-vous aller, fit l'infirmière.

— Nous sommes tous vos amis ici, répéta Jellicoe.

Susan tenta de résister mais l'homme la contraignit à se rallonger.

Il immobilisa ses bras.

L'infirmière releva la manche de son pyjama.

Susan se débattit et appela à l'aide en hurlant.

L'infirmière frictionna un petit coin de peau avec un tampon de coton. Il était humide et froid.

Susan sentit une odeur d'éther et hurla à nouveau.

Le tonnerre gronda; les lumières s'éteignirent et se rallumèrent.

— Susan, si vous bougez, l'aiguille risque de se briser dans votre bras.

Elle refusait de céder, tentait encore de se dégager de la prise de Jellicoe.

Puis elle entendit une voix familière :

— Mais que se passe-t-il ici ? Que lui faites-vous ?

L'infirmière blonde écarta l'aiguille et la prise de Jellicoe diminua lorsqu'il pivota pour apercevoir celle qui avait parlé.

Susan parvint à redresser la tête.

Mrs Baker se tenait au pied du lit.

— Crise d'hystérie, commenta laconiquement la blonde.

— Elle est devenue violente, précisa Jellicoe.

— Violente ? répéta Mrs Baker, incrédule, avant de regarder Susan. Que s'est-il passé, ma chérie ?

Susan fixa Carl Jellicoe qui augmenta légèrement la pression qu'il exerçait sur ses bras. Elle prit brusquement conscience que ses mains étaient tièdes et non pas glacées et humides comme celles d'un cadavre.

— Vous vous souvenez de ce qui est arrivé il y a treize ans ? Je vous en ai parlé hier, dit-elle à Mrs Baker.

— Oui, naturellement. Une horrible tragédie.

— Je venais de faire un cauchemar quand ces deux aides-soignants sont entrés dans ma chambre.

— Tout cela à cause d'un simple cauchemar ? demanda Mrs Baker.

— Oui, mentit Susan.

Elle souhaitait simplement le départ de Jellicoe, de Parker et de l'autre infirmière. Lorsqu'elle serait seule avec Thelma Baker, peut-être pourrait-elle lui dire la vérité. Pour l'instant, son diagnostic serait identique à celui de sa collègue : crise d'hystérie.

— Lâchez-la, je m'en charge.

— Elle est violente, protesta Jellicoe.

— Elle a fait un cauchemar mais à présent elle est bien réveillée. Lâchez-la, ordonna Thelma Baker tout en repoussant sa collègue.

— A mon avis...

— Millie, je connais cette patiente. Laissez-nous seules.

Visiblement à contrecœur, Jellicoe lâcha Susan.

Elle s'assit dans son lit pour masser ses poignets meurtris.

Jellicoe et Parker sortirent en poussant le chariot.

La blonde hésita mais les imita bientôt.

Tout en prenant soin de ne pas marcher sur les éclats de verre, Mrs Baker contourna le lit pour aller jeter un coup d'œil à Mrs Seiffert.

— Elle dort toujours, malgré tout ce remue-ménage.

Elle prit un autre verre et l'emplit d'eau.

— Merci, lui dit Susan.

Elle but et l'eau adoucit un peu sa gorge irritée par ses hurlements.

— Pour l'amour de Dieu, que signifie tout cela ? s'enquit alors Mrs Baker.

Le soulagement de Susan fut remplacé par une vague de tension et de crainte. Elle venait de comprendre que le cauchemar n'était pas terminé. Au contraire, tout ne faisait probablement que commencer.

DEUXIÈME PARTIE

Derrière le rideau...

7

La foudre et le tonnerre avaient gagné le comté voisin mais la pluie n'avait pas cessé.

Assise dans son lit, Susan se sentait épuisée. La pluie paraissait avoir dilué toute son énergie.

Jeffrey McGee se tenait à côté du lit, les mains dans les poches de sa blouse.

— Selon vous, les sosies de *trois* membres de cette confrérie se trouvaient ici?

— Quatre.

— Quoi?

— Je ne vous ai pas parlé de celui que j'ai vu hier.

— Ce serait... Quince?

— Oui.

— En personne, ou quelqu'un qui lui ressemble?

— J'étais dans le couloir. C'est un patient, comme Harch. Chambre 216. Il est censé s'appeler Peter Johnson, dit-elle avant d'hésiter pour ajouter : Et il paraît n'avoir que dix-neuf ans.

McGee l'étudia en silence.

Il n'avait encore porté aucun jugement sur elle et semblait désireux de la croire, mais elle n'osait soutenir son regard. Ce qu'elle venait de lui dire était si extravagant qu'elle en ressentait elle-même comme une gêne.

— C'est l'âge qu'avait Randy Lee Quince lorsqu'il a participé au meurtre de Jerry Stein, n'est-ce pas?

— Oui. Quince était le plus jeune des quatre.

Et je sais à quoi vous pensez, se dit-elle. A mon traumatisme crânien, au coma, à une petite lésion cérébrale non révélée par les radiographies, à une minuscule hémorragie dans un vaisseau capillaire. Vous vous demandez si je n'ai pas subi une blessure qui a pu affecter le petit groupe de cellules cérébrales dans lesquelles sont renfermés mes souvenirs de l'Antre du tonnerre. Vous calculez les possibilités pour qu'un caillot ou un vaisseau rompu aient pu raviver ces derniers et les faire déborder dans mon existence réelle. Suis-je obsédée par le meurtre de Jerry pour la simple raison que mon cerveau est soumis à une pression anormale ? Parce qu'un point microscopique endommagé altère mes sens au point de me faire reconnaître Harch et les autres, alors que Bill Richmond, Peter Johnson et les deux aides-soignants ne ressemblent pas aux quatre membres de la confrérie ? C'est probablement l'explication. Non, c'est autre chose. Ils ne sont pas leurs sosies. Ils sont leurs sosies. Ils ne sont pas les véritables Harch, Quince, Jellicoe et Parker. Ils sont les véritables Harch, Quince, Jellicoe et Parker. Je ne sais plus. Mon Dieu, aidez-moi ! Vous aussi, McGee. Je ne peux vous reprocher votre confusion et vos doutes.

— Ils sont donc quatre, dit-il. Quatre sosies, dans cet hôpital.

— Eh bien... je ne sais plus.

— Mais vous venez de me dire...

— Oh, ils semblent identiques aux assassins de Jerry. Mais je me demande s'il s'agit de sosies ou de...

— Oui ?

— Ou de... d'autre chose.

— Précisez votre pensée.

— Dans le cas de Parker et de Jellicoe...

Mais Susan n'osait employer le terme de « spectres ». Lorsque Carl Jellicoe l'avait immobilisée sur son lit, elle avait pensé à une explication surnaturelle. Cependant, parler de morts-vivants sortis de leur tombe pour assouvir une vengeance lui paraissait à présent complètement absurde.

— Susan ?

Elle parvint finalement à soutenir son regard.

— Si vous ne croyez pas que ces deux aides-soignants sont des sosies de Jellicoe et de Parker, à quoi pensez-vous ?

— Oh, je ne sais plus. Je peux seulement vous dire ce que j'ai vu... ou cru voir.

— Je n'avais pas l'intention de vous pousser dans vos derniers retranchements, s'empressa-t-il de dire. Je devine que ce n'est pas facile.

Elle lut de la pitié dans ses yeux bleus et détourna aussitôt le regard. Elle ne voulait pas inspirer de la pitié, surtout à Jeffrey McGee.

Il resta un moment silencieux, les yeux rivés sur le sol.

Susan passa ses mains moites sur les draps et s'adossa aux oreillers en fermant les yeux.

— Simple autosuggestion, dit-il.

— En parlant de suggestions, j'attends les vôtres.

— Elles risquent de vous déplaire.

— Dites toujours, répondit-elle en rouvrant les yeux.

— Permettez-moi de faire venir Bradley et O'Hara.

— Jellicoe et Parker.

— Ils s'appellent Bradley et O'Hara. Ils vous parleront d'eux, de leur enfance : ils vous expliqueront comment ils ont trouvé du travail dans cet hôpital. Si vous les connaissez, peut-être que...

— ... Je me rendrai compte que leur ressemblance avec Parker et Jellicoe est tout compte fait moins prononcée que je ne le pense, acheva-t-elle à sa place.

Il se rapprocha et posa la main sur son épaule. Elle dut relever les yeux pour lire à nouveau de la pitié dans les siens.

— Il est possible que vous les voyiez ensuite sous un jour différent.

— Ce n'est pas une possibilité mais une certitude.

Il fut visiblement surpris de son objectivité.

— Je sais que mon problème est d'ordre psychologique, à moins qu'il ne soit dû à un dysfonctionnement cérébral provoqué par mon accident, ou encore à ces trois semaines de coma.

McGee hocha la tête et sourit. C'était son tour d'être embarrassé.

— J'oublie toujours que vous êtes une scientifique.

— Vous n'avez pas à me ménager, docteur McGee.

Visiblement soulagé, il s'assit à côté d'elle. Cet acte désinvolte ainsi que l'expression de la joie provoquée par sa réponse pleine de bon sens le faisaient paraître plus jeune de dix ans, et encore plus séduisant :

— Vous savez, je cherchais désespérément un moyen de vous dire que tout cela n'existait probablement que dans votre imagination, alors que vous le saviez depuis le début. Et ceci me permet de biffer sans hésitation l'une des deux possibilités que vous avez mentionnées. Ce n'est pas psychologique. Vous êtes trop stable et raisonnable.

— Il ne reste donc plus que la solution du dysfonctionnement cérébral.

— Qui ne met en rien vos jours en danger, s'empressa-t-il d'ajouter, brusquement devenu grave. S'il s'agissait d'une hémorragie importante, ou d'autre chose de ce genre, vous ne seriez pas aussi lucide. En outre, rien n'est apparu à la radioscopie.

Elle hocha la tête.

— Mais vous avez toujours peur de Bradley, d'O'Hara, et des deux autres, ajouta-t-il.

— C'est exact.

— Tout en sachant que ce n'est probablement que le fruit de votre imagination.

— Vous mettez tout de même une limite avec le terme « probablement ».

— Alors disons que c'est *incontestablement* un problème de perception provoqué par un dysfonctionnement cérébral.

— Vous avez sans doute raison.

— Mais vous avez toujours peur de ces hommes.

— Très.

— La tension ou la crainte risquent de retarder votre rétablissement.

— Je ferai face. Je suis de la trempe des héros.

— Bravo, j'aime votre détermination.

Mais, au fond de moi-même, je ne crois pas que ce

soit un problème psychologique ou dû à un dysfonctionnement cérébral, pensa-t-elle. Si ma raison accepte ces explications, je les rejette d'instinct. Ces hommes sont les copies conformes de Harch, de Quince et des autres, c'est un fait indéniable. Ils veulent quelque chose... sans doute me tuer.

— Enfin... dit-elle. Faites venir Jellicoe et Parker.

— Bradley et O'Hara.

— Comme vous voudrez.

— Susan, si vous pensez qu'il s'agit de Jellicoe et de Parker, vous verrez ces deux hommes. Essayez de vous convaincre qu'ils s'appellent Dennis Bradley et Pat O'Hara, cela vous aidera à les voir tels qu'ils sont.

— Entendu. Ils s'appellent Bradley et O'Hara. Mais si je découvre qu'ils ressemblent toujours à Jellicoe et à Parker, c'est d'un exorciste que j'aurais besoin, pas d'un neurologue.

Il rit.

Mais elle ne l'imita pas.

★

McGee avait brièvement expliqué la situation à Bradley et à O'Hara, avant de les ramener dans la chambre. Ils semblaient peinés par l'état de Susan et paraissaient vouloir l'aider du mieux qu'ils pouvaient.

Elle tenta de leur dissimuler combien leur présence l'angoissait. L'estomac contracté et le cœur battant follement, elle parvint à leur sourire et à paraître détendue. Elle voulait laisser à McGee une opportunité de lui démontrer que ces deux hommes n'étaient que deux aides-soignants ordinaires.

McGee, qui se tenait à côté du lit, lui tapotait par instants l'épaule pour la réconforter.

Les aides-soignants étaient au pied du lit. Tout d'abord figés comme deux écoliers récitant une leçon devant un maître réputé pour sa sévérité, ils se détendirent peu à peu.

Dennis Bradley, celui qui l'avait immobilisée sur le lit pendant que l'infirmière s'apprêtait à lui faire une piqûre, parla le premier.

— Je voudrais vous demander de m'excuser si j'ai été un peu brutal. Mais je n'étais pas rassuré par ce que vous aviez dit... vous savez... au sujet de nos yeux...

— N'en parlons plus, dit-elle alors qu'elle sentait à nouveau ses doigts s'enfoncer cruellement dans ses poignets. J'avais peur, moi aussi. C'est moi qui vous dois des excuses, à tous les deux.

Puis Bradley parla de lui. Il était né à Tucson, dans l'Arizona, vingt ans plus tôt. Ses parents avaient déménagé pour Portland, dans l'Oregon, quand il était âgé de neuf ans. Il n'avait pas de frère, seulement une sœur aînée. Après avoir préparé une carrière paramédicale, il avait trouvé cet emploi d'aide-soignant et d'ambulancier. Il répondit à toutes les questions de Susan.

De même que Patrick O'Hara, le rouquin. Né et élevé à Boston, il appartenait à une famille d'Irlandais catholiques. Non, il n'avait jamais rencontré dans sa ville natale un nommé Herbert Parker. Oui, il avait un frère aîné, mais ce dernier ne lui ressemblait guère. Non, il n'avait jamais mis les pieds au collège de Briarstead, dont il entendait parler pour la première fois. Il s'était rendu dans l'Ouest à dix-huit ans, et vivait à Willawauk depuis seize... non, dix-sept mois.

Bradley et O'Hara étaient amicaux. A présent qu'elle les connaissait un peu, elle n'avait plus aucune raison de les considérer comme une menace.

Ils paraissaient sincères.

Ils ne semblaient rien lui dissimuler.

Pourtant, Bradley ressemblait trait pour trait à Carl Jellicoe.

O'Hara était le sosie de Herbert Parker.

Et Susan avait l'impression qu'ils n'étaient pas ce qu'ils prétendaient être, qu'ils mentaient et lui cachaient quelque chose. Son intuition lui disait qu'ils jouaient une comédie longuement répétée.

Je dois être devenue complètement paranoïaque, pensa-t-elle.

Après le départ des aides-soignants, McGee lui demanda :

— Alors ?

— Ça n'a pas marché. J'avais beau me dire qu'ils

s'appelaient Bradley et O'Hara, ils étaient toujours les portraits jurés de Jellicoe et de Parker.

— Vous avez conscience que cela n'infirme pas l'hypothèse d'un problème de perception dû à une lésion cérébrale ?

— Je sais.

— Nous commencerons une nouvelle série d'examens dès demain.

Elle hocha la tête et il soupira :

— Bon sang, j'espérais que cette entrevue avec Bradley et O'Hara vous rassurerait !

— Je suis aussi rassurée qu'un condamné à mort assis sur une chaise électrique.

— Ne vous laissez pas terrasser par la tension ou l'anxiété, cela retarderait votre rétablissement. En parler ne vous soulagerait-il pas ?

— Non. Ma raison a accepté cette explication mais mon instinct la refuse. J'ai toujours l'impression que ces quatre hommes vont revenir... m'attaquer.

— Ecoutez, dit McGee dans l'espoir de la raisonner malgré tout, vous avez peut-être raison de vous méfier de Richmond et de Johnson. Il existe une infime possibilité pour qu'il s'agisse effectivement de Harch et de Quince, vivant sous des noms d'emprunt.

— Eh bien, si c'est comme ça que vous espérez me rassurer !

— Ce que je veux vous faire comprendre, c'est que vous n'avez par contre aucune raison de soupçonner Bradley et O'Hara, puisque Jellicoe et Parker sont morts.

— Je sais. Ils sont morts.

— Vous ne devriez donc pas avoir peur de ces deux hommes.

— Ce n'est hélas pas le cas.

— En outre, ils n'ont pu venir ici dans le but de se venger de vous. Ils travaillaient dans cet hôpital avant votre admission, avant même que vous envisagiez de venir en vacances dans l'Oregon. Croyez-vous que quelqu'un ait pu leur prédire que vous auriez un jour un accident et qu'on vous transporterait dans cet hôpital ?

Croyez-vous que, pour cette raison, O'Hara se soit fait engager ici il y a dix-sept mois, et Bradley il y a un an?

— Bien sûr que non, c'est absurde, dit-elle, le visage empourpré.

Elle se sentait ridicule.

— Je ne vous le fais pas dire, et c'est pourquoi vos craintes sont sans fondement.

— Mais je ne me sens pas en sécurité.

— Vous le devriez, pourtant.

La tension atteignit le point de rupture.

— Ecoutez! Croyez-vous que je prenne plaisir à rester prisonnière de mes émotions, que je me complaise dans ce rôle de victime? Je ne parviens plus à me... dominer. Tout au long de mon existence, j'ai toujours contrôlé mes émotions. Je suis une *scientifique*, c'est clair! J'ai toujours fait passer la raison avant tout, et c'est pour moi un sujet de fierté. Dans un monde qui a toutes les apparences d'un asile d'aliénés, j'ai conservé un esprit cartésien. Je n'ai jamais cédé à mes impulsions, même dans ma jeunesse. Il me semble d'ailleurs que je n'ai pas eu une enfance véritable.

Brusquement, la digue d'un flot de regrets et de frustrations longtemps contenu se rompit et, d'une voix déformée par l'angoisse, d'une voix qu'elle reconnaissait à peine, elle ajouta :

— Certaines nuits, quand je suis seule dans mon lit, il m'arrive de croire qu'il me manque quelque chose : certains petits rouages essentiels au fonctionnement d'un être humain. Je me sens différente des autres. Autant que je puisse en juger, le reste du monde se laisse guider autant par ses émotions que par sa raison. Je vois mes semblables s'abandonner à leurs impulsions ou faire des choses absurdes pour le simple plaisir. *Seulement pour le plaisir.* Quant à moi, j'en suis incapable. Je ne le peux pas. Je ne l'ai jamais pu. Je suis trop crispée, trop maîtresse de moi-même. Toujours. Une femme de fer. Je n'ai pas versé une seule larme lorsque ma mère est morte. D'accord, à sept ans j'étais peut-être trop jeune pour comprendre que j'aurais dû pleurer. De même, mes yeux sont restés secs lors des funérailles de mon père. Je l'aimais, malgré sa froideur, et il m'a manqué... Oh, qu'il m'a manqué... mais je n'ai pas pleuré. *Merde!* Je n'ai pas pleuré. Et je me félicitais de ne pas être comme les autres, mon self-control faisait toute ma fierté, et j'ai établi toutes les règles de mon existence sur cet orgueil.

Elle tremblait violemment mais ne pouvait plus s'arrêter.

— Oui, j'ai fondé ma vie sur cet orgueil. Oh, une vie que la plupart des gens jugeraient inintéressante, mais *ma* vie tout de même. J'étais en accord avec moi-même. Et il a fallu qu'une chose pareille m'arrive à moi! Je sais qu'il est absurde d'avoir peur de ces quatre hommes... mais ils me terrorisent et je n'y peux rien. Je suis malgré moi convaincue d'être en présence d'une chose extraordinaire, peut-être même surnaturelle. Je ne suis plus la même femme et cela me... torture.

Elle frissonna, s'étrangla, se plia en deux. Assise la tête sur les genoux, elle hoqueta puis se mit à pleurer.

McGee restait sans voix. Il lui tendit un Kleenex, puis d'autres.

— Je suis désolé, Susan.

Il alla lui chercher un verre d'eau.

Elle le refusa.

Il le posa sur la table de chevet, déconcerté.

— Que puis-je faire?

— Mon Dieu!...

Il la caressait.

Il la soutenait.

C'était tout ce qu'il pouvait faire pour elle.

Elle dissimula son visage contre la poitrine de McGee et sanglota. Peu à peu, elle prit conscience que ses larmes ne la rendaient pas plus malheureuse, comme elle l'avait craint pendant tout le temps qu'elle avait tenté de les contenir. Les larmes semblaient emporter avec elles toute la souffrance et l'angoisse qui les avaient provoquées.

— Tout va bien, Susan, dit-il.

— Ça va aller mieux.

— Vous n'êtes pas seule.

Il la réconfortait, ce que personne n'avait encore

jamais fait pour elle... sans doute parce qu'elle s'y était toujours opposée.

★

Quelques minutes plus tard.

— Un autre Kleenex?

— Non, merci.

— Comment vous sentez-vous?

— Vidée.

— Désolé.

— Vous n'y êtes pour rien.

— Je vous harcelais au sujet de Bradley et d'O'Hara.

— Vous vouliez seulement m'aider. Et vous avez réussi. Je refusais d'admettre que je ne suis pas aussi résistante que je le pensais. Je ne suis pas celle que je croyais être. Et c'est peut-être une bonne chose.

— Tout ce que vous m'avez dit... étiez-vous vraiment sincère?

— Oui.

— Nous avons tous un point faible.

— Je viens de le découvrir.

Il lui prit le menton, releva son visage et la regarda. Elle n'avait jamais vu des yeux aussi bleus que les siens.

— Je trouverai la cause de vos hallucinations. Peu importe s'il est difficile d'y parvenir. Me croyez-vous?

— Oui, lui répondit-elle.

Et elle accepta, pour la première fois de sa vie, de remettre son destin entre les mains d'un autre.

— Nous trouverons l'origine de vos troubles, de cette obsession, et nous y remédierons. Vous cesserez de prendre des inconnus pour Ernest Harch et ses compagnons.

— Si tout ceci a bien une origine pathologique.

— C'est le cas, croyez-moi.

— D'accord. Tant que vous n'aurez pas trouvé la cause de mon état, tant que vous ne m'aurez pas guérie, j'essaierai de rester stoïque face aux morts-vivants qui se promènent dans cet hôpital. Je ferai de mon mieux en tout cas.

— Vous y parviendrez, je le sais.

— Mais je ne serai pas pour autant débarrassée de ma peur.

— Vous en avez le droit, vous n'êtes plus une femme de fer...

Elle lui sourit et se moucha.

Il resta assis au bord du lit pendant une minute, pensif, puis déclara :

— La prochaine fois que vous croirez voir Harch, Jellicoe, Quince ou Parker, il y a une chose qui devrait vous empêcher de céder à la panique.

— J'aimerais la connaître.

— Quand j'achevais mon internat dans un hôpital de Seattle, nous avions fréquemment à nous occuper de personnes victimes d'overdose. On trouvait toujours au service des urgences des drogués qui faisaient de mauvais trips et que leurs hallucinations poussaient à grimper aux murs ou à tirer sur des fantômes avec des fusils qui n'avaient rien d'immatériel. Que ce soit dû au LSD ou à d'autres stupéfiants, nous ne nous contentions pas d'administrer des antidotes aux patients. Nous leur parlions et cherchions à les encourager pour qu'ils puissent se confier. Nous prenions leurs mains pour leur dire que les monstres qu'ils voyaient n'étaient pas réels. Et cela avait parfois un formidable effet calmant, plus efficace que celui des médicaments.

— En somme, je devrais donc me répéter que Harch et les autres ne sont pas réels, lorsqu'il m'arrive de les voir ?

— Oui. Qu'ils n'existent pas, et qu'en conséquence ils ne peuvent vous faire de mal.

— Une sorte de formule magique pour repousser les vampires.

— Si vous estimez qu'une prière peut les chasser, n'hésitez pas.

— Je n'ai jamais été très croyante.

— C'est sans importance. Priez, si ça vous aide à conserver votre calme, jusqu'au jour où j'aurai trouvé une solution médicale à votre problème.

— Entendu. Je vous obéirai.

— Je suis heureux de constater que vous faites finalement preuve de soumission envers votre médecin.

Elle sourit.

Il regarda sa montre.

— Je vous ai fait perdre du temps, vous serez en retard à votre cabinet.

— Seulement de quelques minutes.

— Je suis désolée.

— Il n'y a pas de quoi. Seuls des hypocondriaques ont pris rendez-vous, ce matin.

Elle rit et fut surprise d'en être encore capable.

Il déposa un baiser sur sa joue. Si la veille elle avait cru qu'il l'embrasserait, aujourd'hui il était passé à l'acte. Avait-il voulu lui exprimer sa sympathie, sa pitié, son affection, son amitié, ou un sentiment plus profond ?

Il se leva et lissa sa blouse.

— Détendez-vous du mieux que vous le pouvez. Lisez, regardez la télé et évitez de penser à l'Antre du tonnerre.

— Je compte demander aux quatre sosies de venir faire un poker avec moi, dit-elle.

McGee lui adressa un clin d'œil, secoua la tête et sourit.

— Vous vous remettez vite.

— Je me contente de suivre les prescriptions de mon médecin traitant.

— Mrs Baker a raison.

— A quel sujet ?

— A votre sujet. Elle affirme que vous avez du cran.

— Il en faut peu pour la convaincre.

— Mrs Baker ? Elle resterait de marbre si le pape et le Président entraient dans cette pièce bras dessus, bras dessous.

Consciente de ne pas mériter ces éloges après s'être laissée aller à pleurer devant cet homme, Susan tira sur son dessus-de-lit sans répondre.

— Et mangez tout votre déjeuner, ajouta McGee. Cet après-midi, je veux que vous suiviez la séance de rééducation prévue pour ce matin.

Susan se raidit.

Il dut noter ce brusque changement d'attitude car il précisa :

— C'est important, Susan. Ces exercices vous permettront d'être sur pied beaucoup plus rapidement. Si une intervention chirurgicale s'avère nécessaire lorsque nous aurons découvert les causes pathologiques de vos problèmes de perception, vous supporterez mieux l'opération si vous êtes en parfaite condition physique.

— Entendu, fit-elle, résignée.

— Parfait.

— Mais, s'il vous plaît...

— Oui ?

— N'envoyez pas Jelli... (Elle se racla la gorge.) N'envoyez pas Bradley et O'Hara me chercher.

— Aucun problème. Ce ne sont pas les aides-soignants qui manquent.

— Merci.

— Et n'oubliez pas... relevez la tête.

Susan se redressa et arbora une expression théâtrale de détermination farouche.

— C'est exactement ça. Imaginez que vous êtes Sylvester Stallone, dans *Rocky*.

— Vous trouvez que je lui ressemble ?

— Hmmm... vous me faites plutôt penser à Marlon Brando.

— Hé, on peut dire que vous savez tourner vos compliments aux filles.

— Je suis un bourreau des cœurs.

Il lui fit un clin d'œil, bien différent de celui que Bill Richmond lui avait adressé la veille.

— Je passerai vous voir à ma visite du soir.

Puis il partit.

Elle était seule. La présence de Jessica Seiffert ne comptait pas.

Susan n'avait toujours pas vu cette femme.

Elle porta le regard sur le rideau du lit voisin. Pas le moindre son ni le moindre mouvement.

— Mrs Seiffert ? appela-t-elle.

Pas de réponse.

Elle envisagea de se lever et d'aller voir si Jessica

Seiffert se portait bien. Mais, pour une raison qu'elle ne parvenait pas à s'expliquer, elle était terrorisée à la pensée de soulever le rideau.

8

Susan prit un livre et lut pendant quelques minutes, sans parvenir à s'intéresser au récit. Elle alluma la télévision mais aucun programme ne retint son attention. Une seule chose accaparait son esprit : le mystère posé par les quatre sosies. Quelles étaient leurs intentions ? Malgré les conseils de McGee, elle passa presque toute la matinée à s'interroger au sujet de Harch et de ses complices, et à s'inquiéter.

C'est la preuve évidente d'une obsession, d'un trouble psychologique ou d'un dysfonctionnement cérébral, pensa-t-elle. Je prétends ne pas croire aux phénomènes surnaturels ni aux puissances occultes, mais je ne mets même plus en doute l'existence de ces hommes, y compris de ceux qui sont morts. C'est absurde.

Cependant, elle était inquiète et attendait avec angoisse qu'on vînt la chercher pour la conduire en salle de rééducation. Si elle ne se sentait pas en sécurité dans sa chambre, au moins ce lieu lui était-il familier. Elle ne voulait pas aller au rez-de-chaussée. Elle se souvenait que Jellicoe... *Dennis Bradley*, lui avait dit : *Nous sommes chargés de vous descendre.*

Vous descendre.

Se sentant coupable de ne pas avoir suivi les conseils de McGee, Susan s'efforça de respecter ses désirs et mangea tout son repas.

Elle venait d'avaler la dernière bouchée lorsque le téléphone sonna. Il s'agissait de deux camarades de travail. Elle ne se souvenait pas d'eux mais tenta d'être agréable, et de les considérer comme des amis. Ce fut néanmoins une conversation hésitante et elle éprouva du soulagement lorsqu'elle raccrocha.

Une heure plus tard, deux aides-soignants entrèrent

en poussant un chariot. Ils ne ressemblaient à personne.

Le premier, un quinquagénaire à l'estomac gonflé par la bière, portait une moustache et ses cheveux étaient gris.

— Salut, ma jolie. Vous avez appelé un taxi?

Le second avait autour de trente-cinq ans. Il était chauve et son visage jovial était presque poupin.

— Nous sommes chargés de vous emmener très loin d'ici.

— J'attendais une limousine, dit-elle.

— Hé, vous n'aimez pas notre carrosse? demanda le plus âgé.

Il caressa les courbes du chariot, comme s'il présentait une voiture de luxe.

— Admirez cette ligne classique! Les garnitures de cuir! Le haut de gamme, ma bonne dame!

— Et vous avez droit à *deux* chauffeurs pour le prix d'un! surenchérit le chauve en collant le chariot contre le lit. Moi, c'est Phil, et lui, Elmer Murphy.

— On m'appelle Murf.

— On lui donne des noms bien pires que celui-là.

Bien que effrayée de devoir quitter sa chambre, Susan était amusée. Leur jovialité, leurs efforts pour la mettre à son aise et sa détermination à ne pas décevoir McGee lui donnèrent assez de courage pour s'installer sur le chariot.

— Etes-vous toujours comme ça? leur demanda-t-elle.

— Comment? demanda Murf.

— Toujours aussi charmants, je suppose, compléta Phil en glissant un oreiller sous la tête de Susan.

— Oh, ouais, toujours aussi charmants.

— Nous n'avons rien à envier à Cary Grant.

— Et chez nous, c'est inné.

— Et si vous cherchez le mot « charmant » dans le dictionnaire... commença Phil.

— ... vous découvrirez qu'il est illustré par notre photo, compléta Murf.

Ils placèrent sur elle une couverture qu'ils immobilisèrent à l'aide d'une sangle, puis la poussèrent vers le couloir.

Pour la *descendre*.

Afin de ne pas y penser, elle leur demanda :

— Pourquoi un chariot ? Vous auriez pu prendre un fauteuil roulant.

— Impossible, répondit Phil. Les patients n'attendent que ça !

— Je dirais même qu'ils ne tiennent pas en place.

— Si nous laissions un malade seul dans un fauteuil roulant pendant moins de dix secondes...

— ... il en profiterait pour filer illico en Mésopotamie.

Ils avaient atteint les ascenseurs et Murf pressa un bouton.

— Un endroit merveilleux, déclara Phil lorsque les portes s'ouvrirent.

— Quoi ? La cabine d'ascenseur ?

— Non, la Mésopotamie.

— Tu connais ?

— J'y passe tous les hivers.

— Entre nous, je crois que la Mésopotamie n'existe plus.

— Ne va pas dire ça à un Mésopotamien.

Ils continuèrent sur le même ton jusqu'au rez-de-chaussée, puis le long des couloirs menant à la salle de rééducation située dans une des ailes latérales. Une fois au but, ils confièrent Susan à Mrs Florence Atkinson.

C'était une petite femme brune, débordante d'énergie et d'enthousiasme. Elle fit effectuer à Susan une demi-heure d'exercices, avec diverses machines et divers accessoires de gymnastique conçus pour faire travailler chaque muscle du corps. Cela n'avait rien d'exténuant, et une personne en bonne santé eût trouvé ces mouvements d'une facilité ridicule.

Mais, au bout de cette demi-heure, Susan était épuisée et se sentait ankylosée. La kinésithérapeute lui fit ensuite un massage qui lui donna l'impression d'être composée en tout et pour tout d'un certain nombre d'os reliés entre eux par des articulations aléatoires.

Ensuite, elle séjourna dans un bain à remous. L'eau chaude et tourbillonnante emporta la tension qui subsistait en elle, puis elle alla prendre une douche dans un box doté d'un siège et de poignées. Le jet d'eau chaude et l'odeur du savon étaient si agréables que le simple fait de se laver semblait être un péché.

Susan s'assit enfin devant un miroir pour permettre à Florence Atkinson de sécher ses cheveux blonds, et elle fut ravie de constater la disparition des cernes sous ses yeux. Si sa peau avait gardé quelques traces bleuâtres, ses joues avaient repris des couleurs. Sur son front, la balafre était moins rouge et moins enflée que la veille, et elle fut certaine qu'elle finirait par disparaître totalement.

Après avoir remis son pyjama vert, elle s'allongea sur le chariot que Mrs Atkinson poussa dans la salle d'attente.

— Phil et Murf vont revenir vous chercher.

— Ils peuvent prendre leur temps. J'ai l'impression de flotter dans un océan, dit-elle en se demandant pourquoi elle avait eu si peur d'être descendue au rez-de-chaussée.

Elle fixa les dalles du plafond pendant quelques minutes, puis ferma les paupières et bâilla.

— Elle se la coule douce, Phil.

— Exact, Murf.

Elle ouvrit les yeux et leur sourit.

— On dorlote un peu trop les patients, ici, déclara Phil.

— Massages, bains, chauffeurs...

— Ils exigeront bientôt de se faire servir leur petit déjeuner au lit.

— Je me demande si nous travaillons dans un hôpital ou un quatre étoiles.

— Je me pose parfois la même question, Murf.

— Vous êtes les Laurel et Hardy de l'hôpital de Willawauk, dit-elle.

Ils la poussèrent hors du vestibule.

— Laurel et Hardy? répéta Phil. Je me considère plutôt comme le Robert Redford local.

Ils s'engagèrent dans le couloir principal. L'oreiller

relevait assez la tête de Susan pour lui permettre de constater que le passage était désert. C'était bien la première fois qu'elle ne croisait personne dans cet hôpital.

— Robert Redford n'a pas besoin d'une perruque, reprit Murf.

— Moi non plus.

— Exact. Une peau d'ours ne serait pas de trop pour dissimuler ta boule de rampe.

Ils étaient à la hauteur des ascenseurs.

— Tu es cruel avec moi, Murf.

— Il est temps que tu affrontes la réalité, Phil.

Murf pressa un bouton d'appel.

— J'espère que vous appréciez votre voyage, miss Thorton ? demanda Phil.

— Enormément.

— Parfait, et je peux vous assurer que la suite sera encore plus intéressante.

— Bien plus intéressante, surenchérit Phil.

Les portes s'ouvrirent devant elle.

Ils poussèrent le chariot à l'intérieur, mais ne le suivirent pas.

Quatre personnes se trouvaient déjà dans la cabine : Harch, Quince, Jellicoe et Parker. Les deux premiers portaient un pyjama et une robe de chambre et se tenaient sur sa gauche. Jellicoe et Parker, en blouse blanche, étaient à sa droite.

Sous le coup du choc, elle releva la tête avec incrédulité pour fixer Murf et Phil qui restaient dans le couloir. Ils lui sourirent et agitèrent la main en guise d'adieu.

Les portes se refermèrent. La cabine s'éleva.

Ernest Harch pressa un bouton sur le tableau de commande et bloqua la cabine entre deux étages. Il abaissa le regard sur elle et ses yeux gris formaient deux petits cercles de glace sale dont la froideur pénétra jusqu'au cœur de Susan.

— Salut, ma petite, fit Harch. Le hasard fait bien les choses, hein ?

Jellicoe eut un petit rire, une sorte de gargouillement porcin qui allait avec son visage.

— Non, fit-elle, apathique.

— Tu ne te mets pas à hurler ? demanda Parker qui arborait un sourire narquois.

— Nous avions espéré des cris et des larmes, déclara Quince, son visage encore plus allongé que de coutume par l'effet de perspective.

— Elle est trop surprise pour crier, commenta Jellicoe avant de se remettre à rire.

Elle ferma les yeux et suivit les conseils de Jeffrey McGee. Ils n'étaient pas réels, ils ne pouvaient lui faire de mal. Ils n'étaient que des fantômes, des créatures de cauchemar. *Immatériels.*

Une main se posa sur son cou.

Le cœur battant, elle rouvrit les yeux.

C'était Harch. Il augmenta légèrement la pression et eut un petit rire.

Susan saisit ses poignets, tenta de les écarter. Inutile. Il était trop fort.

— N'aie pas peur, petite garce. Je ne vais pas te tuer.

Sa voix était exactement comme celle qu'elle avait entendue lors de la cérémonie macabre dans l'Antre du tonnerre. Une voix qu'elle ne pourrait jamais oublier, profonde, sèche et impitoyable.

— Non, nous ne te tuerons pas, répéta Quince. Pas tout de suite, en tout cas.

— Seulement le moment venu, précisa Harch.

Susan reposa ses mains sur le matelas du chariot. Ses extrémités étaient engourdies et glacées. Elle tremblait comme une feuille.

Harch caressa sa gorge avec douceur, semblant admirer sa courbe gracieuse.

Elle frissonna de dégoût et détourna la tête pour regarder Jellicoe.

Ses yeux porcins luisaient.

— As-tu apprécié notre petit numéro de ce matin ?

— Vous vous appelez Bradley, dit-elle, dans l'espoir de regagner le monde réel.

— Non. Jellicoe.

— Et moi, je suis Parker.

— Vous êtes morts !

— Nous sommes *tous* morts, précisa Quince.

Elle regarda l'homme, stupéfaite.

— Après avoir été renvoyé de Briarstead, j'ai regagné ma Virginie natale. Mais les miens ont refusé de me revoir. Une vieille famille conservatrice, si tu vois ce que je veux dire. Aucun scandale ne devait ternir leur nom. (Son visage s'assombrit de colère.) Ils ont décidé de me verser une petite pension pour me permettre de vivre jusqu'à ce que je trouve du travail, et ils m'ont chassé. *Chassé!* Mon père, ce salaud bien pensant, s'est débarrassé de moi comme d'un domestique! J'avais perdu la possibilité de suivre des cours de droit, comme je l'avais prévu. Bon Dieu, je te hais! C'est à cause de toi que je me suis tranché les poignets dans la salle de bains miteuse d'un motel pourri de Newport News.

Elle ferma les yeux et pensa : *Ils n'existent pas. Ils ne peuvent me faire du mal.*

— Quant à moi, j'ai été mis en prison, déclara Harch.

Elle garda les yeux fermés.

— Trente-deux jours avant ma libération... Ah! quand j'y pense... j'avais purgé presque *cinq ans* et il ne me restait plus qu'un mois à tirer quand j'ai eu la malchance de tomber sur un Nègre : il avait planqué un couteau dans sa cellule.

Ils n'existent pas. Ils ne peuvent me faire du mal.

— Mais je t'ai retrouvée. J'avais juré de me venger dans ma cellule. Des milliers de fois. Ce sera bientôt l'anniversaire de ma mort. Il y aura exactement sept ans que ce Nègre m'a collé au mur pour me trancher la gorge, la nuit de vendredi. Il te reste trois jours à vivre. Je voulais que tu le saches. Nous avons prévu une petite soirée très spéciale, pour vendredi.

— Nous sommes tous morts à cause de toi, fit Jellicoe.

Ils n'existent pas. Ils ne peuvent me faire du mal.

— ... si nous avions trouvé sa cachette...
— ... nous aurions également fait éclater son crâne...
— ... tranché sa jolie gorge...
— ... arraché son cœur...
— ... les femmes comme elle n'ont pas de cœur...

Ils ne peuvent me faire du mal.
— ... une petite pute qui couchait avec un juif...
— ... pas vilaine...
— ... devrait y passer avant de la tuer...
— ... un peu maigre...
— ... d'ici à vendredi, elle aura repris du poids...
— ... déjà fait ça avec un mort?...
Elle refusait d'ouvrir les yeux.
Ils n'existent pas.
— ... nous viendrons tous te chercher...
— ... te pénétrer...
Ils ne peuvent me faire du mal.
— ... toute cette viande morte...
— ... qui entrera en toi...
Ils ne peuvent me faire du mal, du mal, du mal...
— ... vendredi...
— ... vendredi...
Une main caressa ses seins, une autre se colla sur ses yeux.
Elle hurla.
Une autre main écrasa sa bouche.
— Salope, dit Harch.
Et c'était lui sans doute qui pinçait son bras droit, de plus en plus fort.
Elle perdit connaissance.

9

Les ténèbres se dissipèrent et furent remplacées par une clarté laiteuse fluorescente dans laquelle des ombres valsaient au son d'une musique inaudible; des silhouettes indistinctes flottaient au-dessus d'elle et lui parlaient avec des voix brouillées quoique familières.
— Regarde qui nous attend, Murf.
— Qui est-ce, Phil?
— La Belle au bois dormant.
Sa vision redevint nette. Allongée sur le chariot, elle cilla devant les deux aides-soignants qui l'observaient.

— Et tu te prends pour le Prince charmant ? demanda Murf.

— Une chose est certaine, ce n'est pas toi, rétorqua Phil.

Susan voyait les dalles du plafond au-dessus des deux hommes.

— Il croit être un prince, murmura Murf à Susan. Alors qu'il n'est qu'un des sept nains !

— Un nain ?

— Ou Vilain, ou Grincheux.

— Aucun nain ne s'appelle Vilain.

— Grincheux, alors.

Susan tourna la tête, ébahie. Elle se trouvait dans la salle d'attente du service de rééducation.

— En outre, il n'y a pas de nains dans l'histoire de la Belle au bois dormant, seulement un prince charmant. Tu confonds avec Blanche-Neige.

— Blanche-Neige ?

— Blanche-Neige.

Sur cette affirmation, Phil entreprit de pousser le chariot alors que Murf le guidait.

Ils se dirigèrent vers les doubles portes donnant dans le couloir.

La peur remplaça la surprise. Elle tenta de s'asseoir, mais la sangle l'immobilisait.

— Non, attendez ! Attendez une minute, bon sang !

Ils s'arrêtèrent, surpris par ses cris. Les sourcils broussailleux de Murf se rapprochèrent. Le visage rond et enfantin de Phil exprimait l'incompréhension.

— Où m'emmenez-vous ? demanda-t-elle.

— Mais... nous vous reconduisons dans votre chambre, jolie princesse, répondit Murf.

— Quelque chose ne va pas ? s'enquit Phil.

Elle faisait courir ses mains sur la sangle de toile, cherchant désespérément à se libérer. Elle trouva la boucle mais, avant qu'elle pût l'ouvrir, Murf écarta ses mains avec douceur.

— Calmez-vous, miss Thorton. Qu'avez-vous ?

Elle les foudroya du regard.

— Vous m'avez déjà conduite jusqu'à l'ascenseur, tout à l'heure...

— Mais...

— *Ils* m'attendaient. Vous m'avez livrée à ces monstres. Je ne vous laisserai pas recommencer.

— Miss Thorton, nous...

— Et n'essayez pas de mentir !

Murf adressa un regard à Phil.

Ce dernier haussa les épaules.

— Quels monstres ? demanda Murf à Susan.

— Vous le savez. Inutile de jouer la comédie.

— Je ne vois pas de qui vous voulez parler, déclara Murf.

— Moi non plus, précisa Phil.

— Eux ! fit-elle, avec exaspération. Harch et les autres. Les quatre morts. Bon Dieu, êtes-vous sourds !?

— Les quatre morts ?

Murf la regarda comme si elle avait perdu la raison, puis il sourit soudain.

— Oh, je vois. Vous avez rêvé.

Elle les fixa tour à tour. Ils semblaient véritablement surpris par ses accusations.

Murf s'adressa à Phil :

— Elle a dû rêver que nous la conduisions jusqu'à la cabine et que nous la laissions avec des patients... décédés. (Il abaissa le regard sur Susan.) C'est ça ? Voilà ce que vous avez rêvé ?

— Je n'ai pas rêvé. Je ne dormais pas.

— Nous avons assisté à votre réveil, déclara Phil d'une voix patiente et compréhensive.

— Une Belle au bois dormant authentique, précisa Murf.

Elle secoua la tête avec énergie.

— Non, non. Je ne dormais pas, la première fois que vous êtes venus, dit-elle avant de comprendre que ses explications pouvaient sembler irrationnelles. Je... j'ai seulement fermé les yeux quelques secondes après que Mrs Atkinson m'a laissée dans le vestibule. Je n'ai pas eu le temps de m'endormir que vous êtes arrivés et...

— C'était un rêve, déclara Murf avec douceur.

— Certainement, surenchérit Phil. D'ailleurs, nous n'utilisons jamais les ascenseurs réservés aux malades pour descendre les cadavres à la morgue.

— Jamais.

— Il y a des monte-charge réservés à cet effet, expliqua Phil.

— C'est plus discret, confirma Murf.

Elle eût voulu leur hurler : *Ce n'est pas de ce genre de cadavres que je parle, pauvres idiots! Mais des morts-vivants sortis de leur tombe; ceux qui marchent, qui parlent et qui se font passer pour des êtres vivants; ceux qui veulent me tuer.*

Mais elle garda le silence. Il ne fallait pas qu'ils la croient folle.

— Vous avez eu un cauchemar.

— Un simple cauchemar...

Elle étudia les visages penchés au-dessus d'elle. Celui de Murf, grisonnant et paternel, les yeux reflétant la bonté; celui de Phil, rond et poupin. Pouvaient-ils dissimuler des pensées diaboliques et de la haine? Cela lui parut inconcevable.

— Mais les cauchemars ne sont pas aussi... réels!

— Certains le sont tellement qu'il me faut ensuite une minute pour me convaincre que je suis réveillé, déclara Phil.

— Ouais, ça m'arrive aussi, approuva Murf.

Elle pensa à ce que Quince lui avait dit au sujet de son suicide et à leurs mains sur sa poitrine, ses yeux, sa bouche, quand elle voulait hurler pour réclamer de l'aide.

— Je peux vous jurer que moins de cinq minutes se sont écoulées depuis que Mrs Atkinson nous a rappelés pour nous dire de venir vous chercher, ajouta Murf.

— Et nous n'avons pas perdu de temps.

Elle humecta ses lèvres sèches.

— Je suppose...

— Un rêve, répéta Murf.

— Un mauvais rêve.

Susan hocha la tête, sans pour autant être convaincue.

— Oui, sans doute. Ecoutez, je suis désolée...

— Oh, ne vous en faites pas pour ça, répondit Murf.

— Je n'aurais pas dû être aussi agressive.

— Te sens-tu offensé, Phil?

— Pas le moins du monde. Et toi, Murf?

— Moi non plus.

— Maintenant que la question est réglée, vous sentez-vous d'attaque pour une petite promenade?

— Une petite promenade bien tranquille, promit Murf.

— Par le circuit touristique.

— En première classe, du départ à l'arrivée.

— Repas gastronomiques à la table du capitaine.

— Soirées dansantes.

— Chaise longue et apéritifs inclus.

Ils ne l'amusaient plus. Elle se sentait étourdie, comme si elle avait bu ou avait été droguée. Mais elle ne savait comment leur dire de se taire sans les froisser. S'il ne s'était agi que d'un rêve, elle avait déjà été d'une grossièreté inqualifiable à leur égard.

— Alors, levons l'ancre et cap au large, dit-elle faiblement.

Ils poussèrent le chariot entre les doubles portes, s'engagèrent dans le couloir.

— Tu es certain que la Belle au bois dormant n'avait aucun nain dans ses relations? demanda Murf à Phil.

— Je te l'ai déjà dit, tu confonds avec Blanche-Neige. Murf, je commence à croire que tu es illettré.

— Tu me fais beaucoup de peine, Phil.

Ils tournèrent dans le couloir principal et poussèrent Susan vers les ascenseurs.

— Il y a longtemps que je ne lis plus de contes de fées, c'est tout. Je ne doute pas que c'est le genre de lectures qui te convient, mais je préfère pour ma part des ouvrages plus instructifs.

— Tu veux parler de l'*Annuaire des chevaux de course*?

— Disons plutôt Heinrich Heine.

Ils atteignaient les ascenseurs.

— Et tu sais déjà que j'ai lu les œuvres complètes de Louis l'Amour, ajouta Murf en pressant le bouton d'appel.

— De Heine à l'Amour, tu as des goûts très éclectiques.

— Disons que j'ai l'esprit ouvert.

Susan retint sa respiration. Elle attendait l'ouverture des portes, un hurlement tapi au fond de sa gorge, prêt à se libérer.

Mon Dieu, je vous en supplie, faites que ça ne recommence pas.

— Et toi, Phil? Est-ce que tu a lu un bon emballage de boîte de corn flakes, dernièrement?

Les portes s'ouvrirent avec un léger bourdonnement. Les deux hommes l'empêchaient de voir l'intérieur de la cabine.

Ils la poussèrent et, cette fois, ils montèrent avec elle. Aucun mort-vivant ne l'attendait.

Elle souffla et ferma les yeux. Son soulagement fut accompagné par une forte migraine.

Le retour dans sa chambre s'effectua sans incident mais, lorsqu'ils la placèrent sur son lit, elle nota que son bras droit était douloureux. Elle se souvint aussitôt que Harch, ou un autre mort-vivant, l'avait pincée juste avant qu'elle ne perde connaissance.

Après le départ des deux aides-soignants, elle demeura immobile, craignant de regarder son bras. Finalement, elle osa remonter sa manche et découvrit une légère contusion sur son biceps fragile : un ovale sombre, douloureux au toucher. Une meurtrissure récente, cela ne faisait aucun doute.

Mais que devait-elle en déduire? Qu'elle avait réellement rencontré Harch et ses compagnons, qu'elle n'avait pas fait un cauchemar; ou qu'elle s'était meurtrie pendant la séance de rééducation et avait inconsciemment inclu ce détail dans un rêve?

Elle tenta de se remémorer les événements : s'était-elle heurté le bras pendant les exercices? Elle n'avait aucune certitude. Pendant qu'elle prenait sa douche, s'était-elle rendu compte de quelque chose? Elle ne s'en souvenait pas. Et la marque avait pu n'apparaître qu'après coup.

C'est certainement l'explication, se dit-elle. La seule qui ne soit pas... folle. Ernest Harch et les autres n'existent pas. Ils ne peuvent me faire de mal. Ce sont seulement des spectres engendrés par un dysfonctionnement du cerveau. Si je recouvre mes forces, si McGee trouve ce qui cloche, je ne verrai plus jamais ces morts-vivants. Et en attendant ce jour, je sais qu'ils ne peuvent me faire de mal.

★

Jeff McGee passa la voir à cinq heures et demie. Il avait troqué sa blouse contre un costume bleu nuit, une chemise gris perle, une cravate bleue à rayures grises et une pochette bleu ciel.

Il était si élégant et se déplaçait avec tant de grâce que Susan frissonna sous l'emprise d'un désir soudain. S'il ne l'avait jamais laissée indifférente, c'était la première fois depuis son coma qu'elle ressentait la chaleur agréable du désir sexuel.

Mon Dieu! pensa-t-elle avec amusement. Je dois aller mieux : je suis tout excitée.

McGee vint directement près d'elle et déposa un baiser sur sa joue, tout près de la commissure de ses lèvres. La fragrance de son eau de toilette mêlait la senteur du citron et d'herbes difficiles à identifier. Et sous ce parfum, elle percevait l'odeur encore plus agréable de sa peau.

Elle eût voulu passer ses bras autour de son cou et l'étreindre pour ne plus le lâcher : l'attirer vers elle et puiser en lui les forces dont elle avait besoin. Leurs rapports étaient excellents, certes, mais ils ne l'étaient pas à ce point. Compte tenu des limites imposées par le cadre des relations patient-médecin, d'où était habituellement exclu tout romantisme, elle devait faire preuve d'une certaine réserve. Elle se souvint de surcroît qu'elle ne pouvait faire entièrement confiance à ses sens (qui lui soufflaient que Jeff McGee éprouvait plus que de la simple sympathie pour elle) et se contenta de déposer à son tour un baiser sur sa joue.

— Je suis un peu pressé, ce soir, dit-il en s'écartant. Je vais voir comment se porte Jessica Seiffert et je reviens.

Il disparut derrière le rideau.

Susan ressentit la morsure de la jalousie. Elle se demanda pour qui il avait mis son plus beau costume.

Avec qui il irait dîner ce soir. Une femme ? Naturellement, et certainement très belle. Un homme ne prenait pas la peine de se mettre ainsi en frais pour une sortie entre copains. Jeffrey McGee était séduisant, et les hommes comme lui ne manquaient pas d'admiratrices. Il devait avoir une vie privée, sentimentale et... eh bien, oui, *sexuelle*... bien avant que Susan Kathleen Thorton ne fasse son apparition à Willawauk. Elle n'avait aucun droit d'être jalouse. Aucun. Il n'existait rien entre eux. Il n'avait pas à lui rester fidèle. Cette simple idée était ridicule. Cependant, elle était jalouse; terriblement, étonnamment jalouse.

Il réapparut de derrière le rideau et revint près de Susan pour prendre sa main et lui sourire.

— Alors ? Et cette rééducation ? Avez-vous passé un bon après-midi avec Flo Atkinson ?

Susan avait eu l'intention de lui parler de ce rêve horriblement réel au cours duquel elle s'était retrouvée coincée dans l'ascenseur avec Ernest Harch et les autres membres de la confrérie. Mais, à présent, elle ne voulait pas donner d'elle l'image d'une faible femme terrorisée. Elle ne voulait pas de sa pitié.

— Une journée formidable, dans tous les domaines.

— Je suis heureux de vous l'entendre dire.

— Oui, j'avais bien besoin de faire de l'exercice, dit-elle, cette fois sans mentir.

— Vous avez déjà repris des couleurs.

— Je me suis également lavé les cheveux.

— Oui, ils sont très beaux.

— Quel menteur vous faites, docteur McGee. Ils resteront horribles pendant encore deux mois, grâce aux bons soins de votre coiffeur maison qui utilise une tronçonneuse, je suppose, pour s'occuper des nouveaux arrivants. Au moins sont-ils propres à présent.

— Je les trouve propres et beaux, insista-t-il. Votre coupe me fait penser à Peter Pan.

— Merci beaucoup. Peter Pan était un garçon.

— Alors, disons plutôt...

— Un chien de berger ?

— Vous refusez tous les compliments, fit-il avant de

l'observer avec attention. Mais puisque vous le dites...
Sauriez-vous aller chercher mes pantoufles ?

— Ouah, ouah !

— Sincèrement, je vous trouve meilleure mine.

— C'est vous qui êtes resplendissant, ce soir.

— Merci, répondit-il sans lui fournir la raison de son
élégance, ce qu'elle avait espéré apprendre en lui adressant ce compliment. Avez-vous revu Harch et les
autres ?

— Pas même entrevu, mentit-elle.

— C'est bon signe. J'ai prévu certains examens, pour
demain. Analyses de sang et d'urines, radioscopie,
ponction lombaire si nécessaire.

— Aïe.

— Ça se passera bien.

— Facile à dire quand on ne parle pas de sa propre
moelle.

— Exact. Mais si c'est absolument indispensable, je
ferai moi-même cette ponction, et je suis célèbre pour
ma douceur. (Il regarda sa montre.) Il faut que je parte.

— Un rendez-vous galant ?

— Hélas, non. La réunion mensuelle de l'association
médicale des trois comtés. Ce soir, je dois faire un
discours et j'ai le trac.

Elle faillit soupirer de soulagement.

— Ça m'étonnerait. Vous ne devez avoir peur de
rien.

— Entre autres choses, je suis terrorisé par les ser-
pents, je souffre légèrement de claustrophobie, et je
redoute plus que tout de parler en public.

— Et les chiens de berger ?

— Je les adore, dit-il avant de l'embrasser à nouveau
sur la joue.

— Vous ferez un tabac.

— Enfin, il est certain que ce ne sera pas le moment
le plus pénible de la soirée. Mon discours ne pourra
pas être pire que le banquet de l'*Holiday Inn*.

Elle sourit et il parut hésiter avant d'ajouter :

— Au cas où vous en reverriez un, n'oubliez pas qu'il
n'est pas réel...

— ... et ne peut me faire du mal.

— Gardez ça à l'esprit.

— Soyez tranquille.

— Au fait, toutes les infirmières de l'étage sont au courant. Si vous avez des problèmes... des hallucinations, sonnez et on viendra vous rassurer.

— Ça me fait déjà de l'effet.

— Vous n'êtes pas seule.

— J'en ai conscience... et je vous en suis reconnaissante.

Il sortit après un dernier sourire.

Il était parti depuis plusieurs minutes quand la douce excitation sexuelle de Susan s'estompa. Sa température retomba à 37°.

Seigneur! pensa-t-elle, émerveillée. J'ai l'impression d'être une adolescente qui ne pense qu'à ça.

Puis elle ressentit toute sa solitude.

Plus tard, comme elle prenait son dîner, elle se souvint de la réflexion de McGee concernant les compliments qu'il lui adressait. Elle les refusait, c'était exact. Et étrange. Elle y réfléchit un certain temps. Elle n'avait jamais autant apprécié des compliments que ceux venant du Dr McGee. Voulait-elle l'inciter à les répéter? Non... plus elle réfléchissait, plus elle se soupçonnait de les esquiver en raison de l'effet qu'ils avaient sur elle, et de la crainte que lui inspirait son engouement pour cet homme. Susan avait eu des amants, un petit nombre, et chaque fois elle était restée maîtresse de la situation. Lorsque arrivait le moment des adieux, elle avait toujours pu rompre sans subir le moindre traumatisme sur le plan affectif. Susan avait maîtrisé son cœur tout comme sa carrière, mais elle sentait que les choses seraient différentes avec Jeff McGee. Il s'agissait de relations plus intenses, plus émotionnelles, et peut-être en était-elle légèrement effrayée.

Il était indéniable que cet homme ne la laissait pas indifférente, mais était-ce une simple attirance physique ou de l'*amour*? C'était bien la première fois qu'elle se posait une telle question.

De l'amour?

Impossible, pensait-elle. On ne peut aimer un homme

qu'on connaît depuis trois jours à peine. Je ne sais rien de lui. Nous ne nous sommes même pas *vraiment* embrassés. Seulement sur la joue. Bon sang, on ne tombe pas amoureuse en une nuit !

Elle savait cependant que c'était bien ce qui lui était arrivé. Comme dans les films.

Entendu, je l'aime, se dit-elle. Mais n'est-ce pas parce que je suis faible et sans défenses, et que je désire pouvoir compter sur un homme fort ? Dans ce cas, ce serait de la gratitude, un désir de fuir les responsabilités, pas un amour véritable.

Cependant, plus elle y réfléchissait, plus elle estimait qu'il s'agissait d'un amour doublé d'un besoin désespéré d'assistance.

Que trouvait-on en premier : l'œuf ou la poule ? Et était-ce bien important ?

Etant donné que l'amour ne venait pas en tête sur la liste des priorités concernant son rétablissement, elle tenta de penser à autre chose. Elle lut plusieurs chapitres d'un bon roman policier et mangea quatre chocolats. L'infirmière de nuit, une brune nommée Tina Scolari, lui apporta de la ginger ale. Elle poursuivit la lecture de son roman qui devenait de plus en plus captivant. Dehors, la pluie avait finalement cessé de marteler les vitres. Elle demanda un second verre de ginger ale. La soirée était agréable. Tout au moins pour l'instant.

10

Tina Scolari revint la voir à 21 h 15.

— Demain, vous devrez vous lever tôt pour de nombreux examens.

Elle donna à Susan une petite pilule rose : le léger somnifère prescrit par McGee. Pendant que Susan l'avalait avec ce qui restait de ginger ale, l'infirmière rendit visite à Jessica Seiffert en écartant juste assez le rideau pour pouvoir se glisser derrière. Lorsqu'elle réapparut, elle ordonna à Susan :

— Extinction des feux dès que vos paupières seront lourdes.

— Je désire seulement finir ce chapitre, répondit Susan en désignant le livre qu'elle lisait. Plus que deux paragraphes.

— Voulez-vous que je vous aide à atteindre le cabinet de toilette?

— Oh, non! J'y arriverai seule.

— Vous en êtes certaine?

— Absolument.

L'infirmière s'arrêta sur le seuil pour abaisser l'interrupteur de la veilleuse. En sortant, elle referma le deuxième battant de la porte qui était resté ouvert tout le jour.

Susan acheva sa lecture, se leva et gagna le cabinet de toilette en longeant le mur. Elle voulait pouvoir s'y retenir si nécessaire. Après s'être lavé les dents, elle revint vers son lit. Ses jambes étaient faibles et ankylosées mais pouvaient la soutenir. Elle n'avait plus peur de tomber bien que sa démarche fût encore hésitante.

Elle se rallongea, arrangea les oreillers, et utilisa la commande pour abaisser l'extrémité supérieure du lit. Puis elle éteignit la lampe de chevet.

La pâle clarté lunaire atteignit le rideau du lit de Jessica Seiffert et, comme la nuit précédente, le voile blanc semblait absorber la lumière, l'amplifier, et émettre un éclat phosphorescent propre. Susan le fixa quelques instants et connut à nouveau la curiosité et le malaise qu'elle avait éprouvés depuis que Jessica Seiffert partageait sa chambre.

— *Susan...*

La surprise faillit la faire bondir hors de son lit. Elle s'assit en tremblant, repoussa les couvertures à ses pieds; sa respiration était bloquée et son cœur momentanément arrêté.

— *Susan...*

La voix était grêle, sèche et cassante : une voix de poussières et de cendres, émise par des cordes vocales comme usées par les ans. Elle possédait un timbre effrayant et menaçant.

— *Susan... Susan...*

Bien que très faible, rauque et torturée, cette voix était indiscutablement masculine. Et elle provenait de derrière l'épouvantable rideau du lit de Jessica Seiffert.

Susan parvint finalement à reprendre sa respiration. Son cœur se remit à battre...

— *Susan*...

La nuit précédente, en s'éveillant, elle avait déjà cru entendre une voix, mais elle était parvenue à se convaincre qu'il s'agissait des résidus d'un rêve et avait pu se rendormir. Les sens émoussés par le somnifère, elle n'avait pas eu l'esprit suffisamment clair pour pouvoir comprendre que cette voix n'était pas issue de son esprit. Ce soir, cependant, elle ne dormait pas. Ses paupières n'étaient même pas lourdes. Le soporifique n'avait pas eu le temps de faire effet. Les yeux écarquillés, pas le moins du monde ensommeillée, elle savait qu'elle ne rêvait pas.

— *Susan*...

Il s'agissait d'un cri implorant qui exerçait sur elle une attraction viscérale, émotionnelle, presque matérielle dans son intensité. Bien que terrorisée par cette étrange voix, et par l'homme (ou la créature) à laquelle elle appartenait, Susan éprouvait le besoin irrésistible de s'approcher du second lit et d'écarter le rideau pour découvrir qui l'appelait. Agrippant les draps d'une main et le montant du lit de l'autre, elle tenta de résister à cette impulsion insensée.

— *Susan*...

Elle chercha à tâtons l'interrupteur de la lampe de chevet, le trouva enfin et le pressa. La lumière repoussa d'un coup les ombres qui semblèrent battre en retraite à regret, comme des loups affamés s'écartant à contrecœur de leur proie.

Susan fixait toujours le rideau, et attendait.

Pas un bruit.

Dix secondes s'écoulèrent. Vingt. Une demi-minute.

Seulement le silence.

— Qui est là?

Pas de réponse.

Plus de vingt-quatre heures s'étaient écoulées depuis qu'une seconde patiente avait été installée dans cette chambre. Mais si Mrs Baker ne lui avait pas dit qu'elle s'appelait Jessica Seiffert, Susan n'aurait même pas su qui occupait l'autre lit. Plus de vingt-quatre heures, et elle n'avait pas une seule fois entrevu cette femme. Elle ne l'avait pas non plus entendue prononcer une seule parole, seulement un murmure inarticulé en présence du Dr McGee. Si des infirmières étaient venues s'occuper de Mrs Seiffert (pour vider son bassin, prendre sa température, sa tension et son pouls, la nourrir et lui donner des médicaments), Susan n'avait jamais entrevu la mystérieuse occupante de l'autre lit.

Et elle commençait à croire que Jessica Seiffert n'existait pas, qu'il s'agissait d'une autre personne. Ernest Harch ? Un de ses compagnons ? A moins que la réalité ne fût encore plus épouvantable ?

C'est insensé !

Il fallait que ce soit Jessica Seiffert car, dans le cas contraire, cela signifiait que *tout* le personnel de l'hôpital était ligué contre elle. De telles pensées paranoïaques n'étaient que des preuves supplémentaires d'un dysfonctionnement cérébral. Mrs Baker ne lui avait pas menti, elle en était certaine. Et cependant, elle pensait toujours que Jessica Seiffert n'existait pas, qu'elle partageait sa chambre avec un être moins innocent et inoffensif qu'une vieille femme à l'agonie.

— Qui est là ?

Toujours pas de réponse.

— Bon Dieu, je n'ai pas rêvé !

En suis-je certaine ?

— Vous m'avez appelée.

A moins que je ne l'aie simplement imaginé.

— Qui êtes-vous ? Que faites-vous ici ? Que me voulez-vous ?

— *Susan...*

Elle sursauta, comme giflée, car cette voix semblait encore plus surnaturelle dans cette chambre illuminée qu'au sein de l'obscurité. Elle appartenait au royaume des ténèbres, elle était encore plus incongrue en pleine lumière.

Reste calme, se dit-elle. Si j'ai une lésion cérébrale qui me fait voir des choses imaginaires, il est logique

que j'entende également des sons inexistants. Hallucinations auditives.

— *Susan...*

Elle devait avant toute chose se dominer, maîtriser l'hystérie qu'elle sentait monter en elle. Il lui était indispensable de se démontrer que cette voix n'était que le fruit de son imagination. Et le meilleur moyen d'en avoir la preuve consistait à aller tirer ce rideau.

— *Susan...*

— Silence, ordonna-t-elle.

Elle essuya ses mains moites sur les draps et prit une profonde inspiration, comme si le courage était un gaz en suspension dans l'atmosphère et qu'elle pouvait s'en emplir.

— *Susan... Susan...*

Assez atermoyé, se dit-elle. Lève-toi. Tu dois en finir.

Elle repoussa les couvertures et s'assit au bord du lit, jambes pendantes. Elle se leva, du côté de Jessica Seiffert. Ses pantoufles se trouvaient hors d'atteinte et les dalles du sol étaient froides sous ses pieds. Moins de trois mètres la séparaient de l'autre lit. Elle l'atteindrait en trois pas, quatre au maximum. Elle fit le premier.

— *Sssssuuuusaaaannnn...*

La *chose* qui occupait l'autre lit (Malgré sa bravoure et son point de vue rationnel sur les hallucinations auditives, elle ne pouvait plus désormais s'y référer que par ce terme.) semblait avoir noté son approche et ses hésitations. Sa voix était devenue encore plus rauque, plus insistante et sinistre, pour gémir son nom.

— *Sssssuuuusaaaannnn...*

Elle envisagea de regagner son lit et de sonner une infirmière. Mais que se passerait-il, si cette dernière arrivait et n'entendait rien? Si elle écartait le rideau sur une agonisante pathétique qui murmurait des paroles sans suite, plongée dans un sommeil engendré par des soporifiques?

Elle fit un deuxième pas et le sol sembla devenir encore plus froid.

Le rideau ondula, comme si quelque chose venait de le frôler de l'autre côté.

Le sang de Susan parut se figer et ralentir sa course dans ses veines, en dépit des battements précipités de son cœur.

— *Ssssssuuuusaaaannnn...*

Elle recula d'un pas.

Le rideau bougea à nouveau et elle discerna derrière lui une silhouette sombre.

La voix l'appela encore, et cette fois elle était indubitablement menaçante.

Le rideau bruissa, puis claqua. Les anneaux qui le retenaient à la tringle du plafond s'entrechoquaient. Une chose noire, informe mais trop volumineuse pour être une femme rongée par le cancer, le grattait frénétiquement, comme si elle cherchait à le déchirer.

Susan sentit la présence de la mort. Peut-être était-ce un symptôme de son déséquilibre mental, la preuve irréfutable que tout ceci était engendré par son imagination, mais cette sensation était trop puissante pour qu'elle pût l'ignorer. *La mort*. La mort était proche. Brusquement, elle renonça à découvrir ce qui se trouvait derrière le rideau.

Elle pivota et s'enfuit, heurta le pied de son propre lit et regarda derrière elle.

Le rideau semblait pris dans un tourbillon, bien qu'elle ne pût sentir le moindre courant d'air dans la chambre. Il tremblait, ondulait, s'enflait et commençait à s'écarter.

Susan se précipita dans le cabinet de toilette, car la porte du couloir lui semblait trop lointaine. Elle referma le battant et s'y adossa, à bout de souffle.

Cette chose n'existe pas. Elle ne peut me faire du mal.

Le réduit était obscur et elle ne pouvait supporter de rester dans le noir. Elle chercha fébrilement l'interrupteur, le trouva, et la blancheur des murs, du sol, du lavabo et de la cuvette des W.-C. l'éblouit.

Cette chose ne peut me faire du mal.

Le bouton de porte pivota dans sa main.

Elle voulut pousser la targette et découvrit qu'elle était cassée.

— Non, fit-elle. Non !

Elle immobilisa le bouton de porte en le serrant de

toutes ses forces et colla son épaule au battant. Pendant des secondes interminables, le bouton de porte fut secoué. Susan serrait les dents et mobilisait tous ses muscles affaiblis, refusant d'abandonner. Les mouvements cessèrent enfin. Craignant d'avoir affaire à une ruse, elle poursuivit ses efforts un moment.

Un crissement se fit entendre derrière le battant. Ce son, qui s'élevait à la hauteur de son visage, la fit sursauter. Tout d'abord presque imperceptible, il s'amplifia rapidement. Des ongles. Des ongles qui grattaient le bois.

— Qui est là ?

Pas de réponse.

Les ongles crissèrent contre le bois pendant près d'une demi-minute, puis il y eut une pause. Puis le bruit recommença, quoique faiblement.

— Que voulez-vous ?

Les grattements redoublèrent.

— Dites-moi qui vous êtes et j'ouvrirai la porte.

Cette promesse resta sans effet.

Elle écouta avec inquiétude le crissement des ongles contre le panneau de la porte. Ils exploraient les interstices entre le battant et le chambranle, cherchant un point d'appui pour forcer l'ouverture.

Soudain, ce fut le silence.

Susan s'apprêtait à saisir à nouveau le bouton de porte mais fut surprise et soulagée de constater que ce dernier ne bougeait pas.

Elle attendit, osant à peine respirer.

Une goutte d'eau tomba dans le lavabo.

Peu à peu, la panique de Susan s'estompa. Le doute s'infiltra dans son esprit, grandit. Lentement, la raison reprit ses droits. Elle admit la possibilité d'une nouvelle hallucination. Après tout, si un homme (ou autre chose) avait voulu s'emparer d'elle, elle n'aurait pu l'empêcher d'entrer dans le cabinet de toilette. Elle était trop affaiblie pour y parvenir. Si quelqu'un avait tourné le bouton de porte (et à présent elle commençait à en douter), la personne en question devait être encore plus faible qu'elle et ne pouvait représenter une menace.

Elle attendait, toujours arc-boutée contre le battant.

A présent, elle respirait plus facilement.

Le temps s'écoulait lentement et son cœur ralentit ses battements. Rien ne venait plus troubler le silence.

Mais elle ne pouvait toujours pas lâcher le bouton de porte. Elle regarda sa main. Ses doigts étaient livides.

Elle se souvint que Mrs Seiffert était plus faible qu'elle. S'était-elle levée en faisant bouger le rideau ? Avait-elle voulu se rendre dans le cabinet de toilette ? Etait-ce cette femme qui avait gratté la porte, dans l'incapacité de parler, réclamant son aide et espérant attirer son attention ?

Seigneur ! pensa Susan. N'ai-je pas interdit la porte à une mourante qui réclamait mon aide ?

Mais elle n'ouvrit pas. Elle ne le pouvait pas. Pas encore.

Non, pensa-t-elle enfin. *Si* elle existe, Mrs Seiffert est trop faible pour se lever et pour traverser la chambre. Elle est invalide. Ce n'était pas elle. En outre, la silhouette que j'ai vue se dresser derrière le rideau était trop énorme.

Une autre goutte tomba dans le lavabo.

Mais il était possible que personne ne se soit levé et que le rideau n'ait pas bougé. Il n'y avait peut-être pas eu de voix mystérieuse, pas de main qui tournait le bouton de porte, pas d'ongles qui grattaient le battant.

Dysfonctionnement cérébral.

Un minuscule caillot.

Une hémorragie presque imperceptible d'un vaisseau capillaire.

Plus elle réfléchissait, moins elle accordait de crédit à une explication surnaturelle. Il ne lui restait que deux hypothèses plausibles : soit tous ces événements relevaient de son imagination... soit le cadavre de Mrs Seiffert gisait derrière la porte, victime du déséquilibre mental de Susan.

Dans un cas comme dans l'autre, elle n'était pas en danger. Elle cessa de peser de tout son poids sur la porte et découvrit que tout son côté gauche était ankylosé. Elle lâcha le bouton de porte qui luisait de sueur.

Elle entrebâilla la porte.

Personne ne tenta d'entrer de force dans le cabinet de toilette.

Toujours terrorisée, prête à repousser le battant à la première alerte, elle l'ouvrit un peu plus et regarda dans la chambre, s'attendant au pire. Mais elle ne vit aucune vieille femme affalée sur le sol, pas de visage à jamais déformé par une expression de mépris et d'accusation.

Tout paraissait normal. La lampe de chevet était toujours allumée, les draps et les couvertures formaient un amas au pied de son lit. Le rideau autour du lit de Mrs Seiffert était en place, aucun courant d'air, aucune main malveillante ne le secouait.

Lentement, elle ouvrit la porte en grand.

Personne ne l'assaillit.

Aucune voix surnaturelle ne murmura son nom.

Tout est donc issu de mon imagination, pensa-t-elle. De mon cerveau qui a, une fois de plus, sombré dans une folie passagère. Mon maudit cerveau qui me trahit.

Susan ne buvait que rarement, et encore se limitait-elle à deux cocktails. Elle avait l'ivresse en horreur. Il ne lui était arrivé qu'une seule fois de boire plus que de raison, à la fin de ses études, et elle en avait gardé un souvenir très désagréable. Susan estimait que le plaisir procuré ne pouvait en aucun cas compenser le désagrément causé par la disparition de la lucidité.

Mais, à présent, elle n'avait plus besoin de boire une seule goutte d'alcool pour perdre tout contrôle d'elle-même.

Et cela la terrorisait.

Que deviendrait-elle si McGee ne découvrait pas l'origine de ses hallucinations ?

Ou s'il n'existait aucun traitement ?

Elle craignait de finir ses jours dans une contrée à la frontière de la folie, dont presque rien ne la séparerait. Elle sombrerait alors dans les ténèbres de l'irréel.

Susan savait qu'elle ne pourrait supporter une telle existence. La mort serait préférable à une telle torture.

Elle éteignit le cabinet de toilette et regagna son lit en longeant le mur.

Lorsqu'elle l'atteignit, elle utilisa la commande pour

l'abaisser. Elle allait s'asseoir mais hésita, se redressa enfin et fixa longuement le rideau. Elle se convainquit qu'elle ne pourrait trouver le sommeil avant d'avoir effectué ce qu'elle avait été incapable de faire un peu plus tôt. Il lui fallait écarter ce rideau et se prouver que seule une vieille femme agonisante partageait sa chambre. Faute de quoi, d'autres hallucinations viendraient la troubler une fois la lumière éteinte.

Susan chaussa ses mules.

Elle contourna lentement son lit en s'y retenant, traversa l'espace la séparant du rideau et leva la main.

Le silence qui régnait dans la chambre était surnaturel... comme si elle n'était pas la seule à retenir sa respiration.

Elle referma ses doigts sur le tissu.

Ouvre-le, pour l'amour de Dieu ! se dit-elle en prenant conscience qu'elle hésitait depuis près d'une minute. Il n'y a rien de menaçant, là-derrière, seulement une vieille femme qui arrive au terme de son existence.

Susan écarta le rideau. Au-dessus de sa tête, les douzaines d'anneaux métalliques cliquetèrent le long du rail fixé au plafond.

Elle se pencha et comprit qu'elle était en enfer. Ce n'était pas Mrs Seiffert qu'elle voyait, mais autre chose. Une chose hideuse. Un cadavre. Le corps de Jerry Stein.

Non, encore une créature sortie tout droit...

Troubles de la perception.

Dysfonctionnement cérébral.

Une petite hémorragie dans un vaisseau capillaire.

Et... oh, oui... un caillot de sang.

Susan eut beau se réciter la liste de toutes les explications médicales possibles, le cadavre ne se métamorphosa pas en Mrs Seiffert.

Cependant, elle ne hurla pas. Elle ne prit pas la fuite. Déterminée à aller jusqu'au bout, à retrouver le chemin de la raison, Susan s'agrippa au montant du lit pour ne pas s'effondrer.

Elle ferma les yeux.

Compta jusqu'à dix.

Il n'existe pas.

Elle rouvrit les paupières.

Le cadavre était toujours là.

Couché sur le dos, le drap remonté jusqu'aux épaules, il paraissait simplement dormir. Un côté de son crâne était défoncé, couvert d'une croûte de sang noir séché. Ses bras nus reposaient sur le drap, paumes tournées vers le haut, doigts recourbés comme si le mort avait vainement tenté de se raccrocher à la vie.

Si le cadavre ne ressemblait pas *exactement* à Jerry Stein, c'était à cause d'un début de décomposition. L'épiderme était grisâtre et des taches vert sombre cernaient ses yeux enfoncés ainsi que les commissures de ses lèvres violacées et gonflées de pus. Les paupières étaient marbrées et recouvertes d'une croûte. Des cloques noirâtres, squameuses et suintantes couvraient sa lèvre supérieure jusqu'aux narines. De chaque côté de son nez écrasé, d'autres pustules étaient rendues luisantes par un fluide brun fétide. En dépit des boursouflures, de la décoloration et des blessures qui le défiguraient, Susan pouvait tout de même reconnaître Jerry Stein.

Mais Jerry était mort depuis treize ans et il n'aurait dû rester de lui qu'un squelette, avec quelques mèches de cheveux collées sur le crâne, des os assemblés par des lambeaux de peau momifiée et quelques ligaments. Sa mort ne paraissait pourtant pas remonter à plus d'une dizaine de jours, peut-être moins.

Ce qui était la preuve qu'il s'agissait bien d'une hallucination, pensa Susan. Seulement d'une hallucination. La réalité, les lois de la nature ou de la logique n'étaient pas respectées. Ce n'était donc qu'une vision d'horreur issue de son esprit.

Elle disposait d'une autre preuve : elle ne sentait pas la moindre odeur de cadavre. Compte tenu du degré de décomposition de ce corps, la puanteur aurait dû être insoutenable mais elle ne percevait que les relents d'antiseptiques omniprésents dans l'hôpital.

Touche-le, se dit-elle. Un mirage est immatériel. Vas-y, touche-le et tu auras la preuve qu'il n'existe pas.

Elle fit appel à tout son courage pour tendre sa main

vers le bras du cadavre mais resta comme paralysée et se contenta de dire à haute voix :

— Il n'est pas là. Il n'est pas réel. C'est une hallucination.

Comme si cette formule magique pouvait provoquer la disparition de la chose.

Les paupières du cadavre cillèrent.

Non !

Elles s'ouvrirent.

Non, pensa-t-elle avec désespoir. Non, non, c'est impossible.

Même ouverts, ces yeux n'étaient pas ceux d'un être vivant. Seul le blanc de l'œil était visible, jaunâtre et injecté de sang. Ces yeux épouvantables roulèrent et des iris bruns apparurent derrière un voile laiteux pour se river sur Susan.

Elle hurla mais aucun son ne sortit de sa bouche. Elle secoua la tête, s'étrangla avec sa salive amère.

La chose leva un bras et ses doigts perdirent leur rigidité cadavérique pour se tendre vers elle.

Susan lâcha le montant du lit comme si le métal avait brusquement été porté au rouge.

Le cadavre ouvrit sa bouche suintante et ses lèvres et sa langue en décomposition murmurèrent son nom :

— Ssssuuuusaaannn...

Elle tituba et fit un pas en arrière.

Il n'existe pas, il n'existe pas, il...

Avec des mouvements saccadés, comme alimenté par un courant électrique interrompu par des baisses de tension, le mort s'assit dans son lit.

Tout ceci n'existe que dans mon esprit, se dit-elle, tentant de se calmer comme le lui avait conseillé McGee.

Le mort répéta son nom et lui sourit.

Susan pivota et s'enfuit vers la porte donnant sur le couloir. (*Ça y est, je ne peux plus me dominer.*) Elle atteignit la porte après ce qui lui parut être des heures, saisit la poignée, la tira, mais le battant (*Je dois m'arrêter, me calmer !*) semblait peser une tonne. Elle maudit sa faiblesse qui lui faisait perdre de précieuses secondes et entendit un gargouillement juste derrière elle.

(Imaginaire!) Elle parvint finalement à ouvrir la porte *(Je fuis un mirage!)* et se précipita dans le couloir, sans oser regarder derrière elle pour voir si le cadavre la poursuivait. *(Une simple hallucination!)* Elle tituba, faillit tomber, courut dans le couloir en zigzagant, les muscles des jambes en feu, les genoux et les chevilles consumés à chaque pas. Elle heurta un mur, s'aida de ses mains pour se redresser, haletante, et crut ne plus avoir la force de faire un seul pas. Puis elle sentit *(Mon imagination!)* l'haleine glaciale du mort sur sa nuque et parvint à reprendre la fuite. Elle atteignit le couloir principal, vit le poste des infirmières et tenta de crier. Aucun son ne sortit de sa gorge et elle suivit tant bien que mal le sol de carreaux verts sous le plafond jaune pâle, en direction des infirmières, des secours et de la sécurité.

★

L'infirmière Scolari et une de ses collègues, une femme au visage rougeaud répondant au nom de Beth Howe, parvinrent à la raisonner; comme McGee avec les malades victimes d'un mauvais trip à l'acide dans cet hôpital de Seattle où il avait effectué son internat. Elles la firent asseoir dans le fauteuil du bureau, lui donnèrent un verre d'eau, l'apaisèrent, l'écoutèrent et la calmèrent.

Mais elles ne purent la convaincre qu'elle pouvait sans danger regagner la chambre 208. Susan voulait qu'on lui en attribue une autre.

— C'est impossible, lui dit Tina Scolari. Cette nuit, tous les lits sont occupés. Et toutes les chambres sont semblables. Vous le savez, n'est-ce pas? Vous devez vous convaincre que vous avez eu une nouvelle crise, voilà tout.

Susan hocha la tête, sans être certaine de le croire encore.

— Malgré tout... je... je ne veux pas... y retourner.

Pendant que Tina Scolari tentait de lui faire entendre raison, Beth Howe se rendit dans la chambre 208.

Elle revint deux minutes plus tard, pour annoncer que tout était normal.

— Et Mrs Seiffert? demanda Susan.

— Dans son lit, répondit Beth.

— Vous êtes sûre que c'est bien elle?

— Affirmatif. Et elle dort comme un loir.

— Vous n'avez pas vu...

— Personne d'autre.

— Avez-vous regardé partout où cette chose aurait pu se dissimuler?

— Il y a peu de possibilités de se cacher, dans cette chambre. Mais j'ai vérifié.

Elles parvinrent à convaincre Susan de s'asseoir dans un fauteuil roulant et la ramenèrent vers sa chambre. Plus elles s'en rapprochaient, plus les frissons de Susan devenaient violents.

Elles poussèrent le fauteuil roulant dans la pièce, en direction du second lit dont le rideau était tiré.

— Non! s'exclama Susan, qui comprenait leurs intentions.

— Je tiens à ce que vous vérifiiez par vous-même, lui rétorqua Beth.

— Non, je ne pourrai pas!

— Bien sûr que si.

— Il le faut, approuva Tina Scolari.

— Mais... je ne... m'en crois pas... capable.

— Je suis certaine du contraire.

Elles arrêtèrent le fauteuil au chevet du lit de Jessica Seiffert.

Beth Howe écarta le rideau.

Susan ferma les yeux et agrippa les accoudoirs de son siège.

— Regardez, Susan, lui dit Tina.

— Regardez, répéta Beth. C'est Jessie et personne d'autre.

Les yeux clos, Susan revoyait le cadavre : le cadavre d'un homme qu'elle avait peut-être aimé treize ans auparavant mais qui la terrorisait désormais. Elle pouvait le voir derrière ses paupières closes, assis dans ce lit, lui souriant avec des lèvres semblables à des fruits blets. Cette scène ne pouvait être plus horrible que la réalité, et elle ouvrit les yeux.

Une femme âgée reposait dans ce lit, si petite et si ratatinée qu'elle évoquait un nouveau-né placé par erreur dans un lit d'adulte, à cela près que son épiderme était cireux et marbré, son teint jaunâtre. Sous ses cheveux gris, sa bouche resserrée ressemblait à une bourse étroitement fermée par un cordon. Elle était alimentée par perfusion et une aiguille était plantée dans son bras squelettique.

— Voici donc Jessica Seiffert, dit Susan, soulagée de voir que cette personne existait réellement mais stupéfaite de constater que son cerveau avait pu la métamorphoser en un zombie avec un réalisme si cru.

— La pauvre femme, commenta Beth.

— Tout le monde l'aime beaucoup à Willawauk, précisa Tina.

Jessica dormait et ses narines s'enflaient imperceptiblement à chaque inspiration.

— Elle recevrait continuellement des visites si elle l'avait permis, déclara Beth.

— Mais elle ne veut pas qu'on puisse la voir ainsi, compléta Tina.

— Est-ce que vous vous sentez mieux ? demanda Beth à Susan.

— Oui, merci.

Beth laissa retomber le rideau.

— Avez-vous regardé dans le cabinet de toilette ?

— Oui, il n'y a personne. Mais allons-y si cela peut vous rassurer.

Tina poussa le fauteuil roulant jusqu'à la porte du cabinet de toilette et Beth fit la lumière.

Aucun mort-vivant ne les guettait.

— Ce n'est pas votre faute, dit Beth.

— Le Dr McGee a fait circuler un rapport sur votre état, précisa Tina Scolari.

— Vous avez toute notre sympathie et tout cela appartiendra bientôt au passé. McGee est un sorcier. Notre meilleur toubib.

Elles aidèrent Susan à se recoucher.

— Les infirmières de nuit sont libres de donner un

second somnifère si le premier n'a pas fait effet, déclara Tina Scolari. Et j'estime qu'il ne serait pas superflu.

— Je ne crois pas que je pourrais me rendormir sans en prendre en effet, avoua Susan. Et je me demande si... est-ce que...

— Oui?

— Est-ce que l'une de vous pourrait rester avec moi... jusqu'à ce que je m'endorme?

Susan avait l'impression d'être retombée en enfance pour faire une telle requête : un bébé de trente-deux ans qui suçait son pouce et avait peur du noir, voilà à quoi elle était réduite : elle s'inspirait du dégoût à elle-même mais ne pouvait rien y changer. En dépit de toutes les explications rationnelles qu'elle avait trouvées aux apparitions *imaginaires* de ces morts, elle était malgré tout terrifiée à la pensée de rester seule et éveillée dans la chambre 208 — comme en tout autre lieu d'ailleurs.

Tina Scolari regarda Beth Howe et haussa les sourcils.

Beth réfléchit un moment, puis déclara :

— Nous ne sommes pas à court de personnel, ce soir.

— Non, lui répondit Tina. Et pour l'instant nous n'avons aucune urgence.

Beth sourit à Susan.

— Une nuit tranquille. Pas d'accidents de voiture, de rixes ou autre chose. L'une de nous pourra attendre que le soporifique fasse son effet. Je vais rester auprès de vous.

— Je vous remercie sincèrement, répondit Susan, honteuse.

Tina s'absenta un instant et revint avec un somnifère.

— Je suis certaine que vous allez dormir comme un ange, affirma Tina Scolari avant de les laisser.

Susan avala la pilule. Beth plaça une chaise à côté du lit et se plongea dans la lecture d'un magazine.

Susan contempla un moment le plafond, puis jeta un coup d'œil vers le rideau de l'autre lit.

Elle reporta finalement son regard vers les ténèbres qui régnaient derrière la porte du cabinet de toilette.

Elle pensa au cadavre qui avait gratté la porte, se rappela le crissement des ongles le long du chambranle.

Naturellement, rien de tout cela ne s'était jamais produit.

Elle ferma les yeux.

Jerry, pensa-t-elle, je t'ai aimé, autrefois. Comme on peut aimer à dix-neuf ans. Et tu disais que tu m'aimais. Alors, pourquoi es-tu revenu me hanter?

Naturellement, rien de tout cela ne s'était jamais produit.

Je t'en supplie, Jerry. Reste dans ce cimetière de Philadelphie. Restes-y. Ne reviens plus me tourmenter. Reste là-bas, je t'en supplie.

Puis elle s'endormit.

11

Une infirmière vint éveiller Susan à six heures du matin. Ce mercredi était une nouvelle journée de grisaille mais il ne pleuvait pas.

Jeffrey McGee arriva moins d'une demi-heure plus tard. Il l'embrassa et ses lèvres s'attardèrent un peu plus longtemps sur sa joue.

— Je ne pensais pas vous voir si tôt, lui dit Susan.

— Je tiens à superviser personnellement la plupart des examens.

— Vous avez pourtant dû vous coucher très tard.

— Non, je me suis enfui sitôt après avoir infligé mon discours aux membres de l'association. Je ne leur ai pas laissé le temps d'organiser un lynchage.

— Sérieusement, comment cela s'est-il passé?

— Personne ne s'est servi de son dessert en guise de projectile.

— Je vous avais dit que ce serait un triomphe.

— Je dois préciser que le dessert était la seule chose

mangeable de tout le repas. Personne n'a voulu y renoncer !

— Je sais que vous avez été formidable.

— Je ne pense pas faire une carrière de conférencier. Mais assez parlé de moi. J'ai cru comprendre que la soirée avait été plutôt animée, ici.

— Oh, non ! Elles vous en ont parlé ?

— Bien sûr. Et vous allez me le répéter, en détail.

— Pourquoi ?

— Parce que c'est un ordre.

Ce fut avec gêne qu'elle lui parla du cadavre découvert derrière le rideau. Après une bonne nuit de sommeil, tout cela lui paraissait ridicule et elle se demandait comment elle avait pu croire une chose pareille.

— Un véritable film d'horreur ! déclara McGee lorsqu'elle eut achevé son récit.

— Je regrette que vous n'ayez pu assister à cette projection privée.

— Mais ce n'est qu'un nouvel épisode...

— Des « Mésaventures de Susan Thorton », le nouveau feuilleton qui pulvérise tous les indices d'écoute.

— Pas une série télévisée, mais une série d'hallucinations.

Il fronça les sourcils et toucha son front pour s'assurer qu'elle n'avait pas de fièvre.

— Comment vous sentez-vous ?

— Je ne saurais aller mieux, compte tenu des circonstances.

— Froid ?

— Non.

— Vous tremblez.

— Un peu.

— Beaucoup. Qu'est-ce qui ne va pas ?

— Je suis... morte de peur.

— Il n'y a pas de quoi.

— Mon Dieu, mais que m'arrive-t-il ?

— C'est ce que nous allons tenter de découvrir.

Le matin du jour précédent, lorsqu'elle s'était abandonnée contre McGee et lorsqu'elle avait pleuré sur son épaule, elle s'était imaginé (et avait voulu croire) que la situation ne pourrait empirer désormais. Pour la première fois de sa vie, elle avait dû admettre qu'elle n'était pas invulnérable. La révélation avait été pénible pour une femme qui avait fondé son existence sur le postulat erroné selon lequel elle était immunisée contre tout débordement émotionnel. Mais elle se trouvait à présent confrontée à une révélation plus épouvantable encore. Après avoir placé son destin entre les mains de McGee et du personnel de cet hôpital, elle prenait lentement conscience qu'ils risquaient d'échouer, qu'ils n'étaient pas infaillibles et qu'en cas d'échec, elle se retrouverait condamnée à une existence chaotique où elle ne pourrait différencier la réalité de l'imaginaire, et où elle finirait par sombrer dans la démence.

Telle était la raison de ses tremblements incontrôlables.

— Mais qu'est-ce qui m'arrive, bon sang?

— Ça va aller mieux, promit McGee.

— Pour l'instant... ça empire, fit-elle d'une voix faible.

— Non, non. Croyez-moi, votre état est loin de s'aggraver.

— Je suis sûre que si.

— Susan, votre hallucination de la nuit dernière a peut-être été plus horrible que les autres...

— Peut-être?

— D'accord, elle a été plus horrible que les autres...

— Et plus précise aussi, plus réelle.

— ... et plus précise, plus réelle. Mais lorsqu'elle s'est produite, vous n'aviez pas eu de crise depuis le matin. Vous n'oscillez pas constamment entre la réalité et...

Susan secoua la tête pour l'interrompre.

— J'ai eu une autre hallucination, entre-temps.

— Quand? demanda-t-il en fronçant les sourcils.

— Hier après-midi.

— Lorsque vous étiez avec Mrs Atkinson?

— La séance de rééducation était finie et j'attendais d'être ramenée ici...

Elle lui expliqua que Murf et Phil l'avaient poussée

dans la cabine d'ascenseur où l'attendaient les quatre morts-vivants.

— Pourquoi ne pas m'en avoir parlé, hier soir?

— Vous étiez pressé...

— Un médecin digne de ce nom a toujours quelques instants à consacrer à un patient qui souffre.

— Ma crise était terminée quand vous êtes venu.

— Vous aviez gardé tout cela au fond de vous-même.

— Je ne voulais pas que vous soyez en retard à votre réunion.

— Ce n'est pas une excuse, Susan. Je suis votre médecin.

— Je vous en prie...

Elle fixa ses mains, incapable de soutenir son regard. Elle ne pouvait lui avouer qu'elle ne lui avait pas parlé de cette hallucination de peur de paraître hystérique, de peur de se rendre ridicule à ses yeux. Et surtout, de peur qu'il ne la prenne en pitié. A présent qu'elle commençait à se croire amoureuse de lui, susciter sa pitié était bien la dernière chose qu'elle pouvait souhaiter.

— Vous devez me dire tout ce qui vous arrive, tout ce que vous ressentez. Absolument tout. Faute de quoi je risque de ne pas noter le symptôme qui permettrait de découvrir l'origine de vos troubles. Je dois disposer de tous les éléments pour établir un diagnostic valable.

— Vous avez raison. A l'avenir, je ne vous cacherai plus rien.

— C'est promis?

— Promis.

— Parfait.

— Mais vous pouvez constater que mon état s'aggrave.

Il tendit la main et caressa sa joue.

Elle releva les yeux vers lui.

— Ecoutez, même si vous avez des crises plus fréquentes, elles sont limitées dans le temps. Et vous êtes ensuite capable de les considérer avec sérénité. Vous avez conscience que ce sont de simples hallucinations. Si vous pensiez encore qu'un mort-vivant est apparu dans cette chambre, la situation serait grave et je commencerais à m'inquiéter, j'aurais moi aussi des sueurs froides... A votre avis, est-ce que je présente des signes de quelqu'un de follement angoissé? En me voyant, pensez-vous à un spot publicitaire pour un déodorant? Hein? Répondez-moi.

— Vous êtes aussi net qu'une biscotte sortant de son paquet.

— Aussi sec qu'un coup de trique. Aussi fringant qu'un poulet rôti comme je sais en préparer moi-même. Au fait, savez-vous faire rôtir les poulets?

— Je crois que oui.

— Sont-ils complètement desséchés en sortant du four?

— Non.

— Ouf! J'avais peur que vous ne soyez pas une bonne cuisinière.

Qu'avait-il voulu dire? se demanda-t-elle. Qu'il s'intéressait à elle autant qu'elle s'intéressait à lui? Elle ne pouvait pas se fier à ses sens, être sûre de bien interpréter ses propos.

— Mais vous devez avoir une attitude positive. Relevez la tête. C'est un ordre du médecin. Je vais aller chercher deux aides-soignants et un chariot, puis nous descendrons effectuer ces examens. Etes-vous prête?

— Je le suis.

— Sourire?

Elle sourit.

Le médecin également.

— Parfait, maintenant restez souriante jusqu'à nouvel ordre. (Il se dirigea vers la porte, et ajouta par-dessus son épaule :) Je reviens tout de suite.

Il sortit et elle cessa de sourire.

Elle regarda le rideau du second lit qui lui dissimulait la fenêtre.

Susan aurait aimé apercevoir le ciel, même s'il était aussi gris et chargé que la veille.

Jamais encore, elle ne s'était sentie si lasse et inutile, pourtant elle avait commencé à recouvrer des forces. Le découragement : tel était son ennemi désormais. Susan était déprimée, non seulement parce qu'elle avait dû s'en remettre à d'autres, mais également parce que ces autres avaient un contrôle absolu sur son destin. Elle était réduite à l'impuissance. Elle serait sur la table d'examen comme un corps privé d'esprit, et ils pourraient la sonder tout à loisir pour trouver une explication à son cas.

Elle regarda à nouveau le lit de Mrs Seiffert. Le rideau blanc était immobile.

Au cours de la nuit précédente, Susan n'avait pas simplement tiré le rideau d'un lit d'hôpital. Elle avait écarté le voile derrière lequel sa folie était tapie. Pendant quelques minutes de cauchemar, elle avait basculé dans le monde trouble de la démence, et bien peu en revenaient.

Elle se demanda comment les choses auraient tourné si elle n'avait pas fui l'apparition, si son orgueil l'avait stupidement empêchée de s'enfuir devant le cadavre en décomposition de Jerry Stein. Elle redoutait de connaître la réponse. Si elle était restée, si son amant mort depuis si longtemps était sorti du lit pour l'étreindre et coller ses lèvres putrides sur les siennes dans un baiser infernal, elle aurait cru mourir. Que Jerry Stein fût réel ou imaginaire, hallucination ou réalité, elle n'aurait pas supporté son contact. On l'aurait retrouvée recroquevillée sur le sol, l'esprit réfugié dans les profondeurs de son être, et on l'aurait transférée de cette chambre de l'hôpital de Willawauk à la cellule capitonnée d'un asile d'aliénés.

Elle savait qu'elle ne pourrait endurer ces tortures plus longtemps. Pas même pour McGee. Pas même pour le bonheur que leur réservait peut-être l'avenir si elle se rétablissait. Sa tension nerveuse était trop grande.

Mon Dieu, pensa-t-elle. Faites que les examens révèlent quelque chose. Faites que McGee trouve la solution. *Par pitié.*

★

Les murs et le plafond étaient bleu pâle. Couchée sur le chariot, la tête à peine rehaussée par un petit coussin, Susan avait l'impression de flotter dans un ciel d'été.

128

McGee apparut à côté d'elle.

— Nous allons commencer par un électroencéphalo-gramme. Rassurez-vous, c'est indolore.

— Je sais.

— Nous obtiendrons une représentation graphique de votre activité cérébrale. Toute anomalie devrait apparaître.

— Devrait?

— Rien n'est parfait.

Une infirmière poussa l'appareil à côté de Susan.

— Les résultats seront plus fiables si vous êtes détendue, lui dit McGee.

— Je le suis.

— Voyons voir votre main. Levez-la et tendez-la devant vous, les doigts serrés. Bon. Maintenant, écartez-les.

Il les observa attentivement quelques secondes, puis hocha la tête.

— Bien, vous ne mentez pas. Vous ne tremblez plus.

Dès qu'elle s'était retrouvée dans cette salle, Susan avait perdu une partie de sa nervosité. Sa formation scientifique lui permettait de comprendre et d'apprécier à leur juste valeur les examens, les analyses, cette recherche méthodique d'une réponse par l'élimination des possibilités jusqu'au moment où une seule subsistait. Elle connaissait bien le processus et il lui inspirait confiance.

Elle avait également confiance en McGee. Elle mettait beaucoup d'espoir dans ses capacités et son intelligence.

Les examens fourniraient une réponse, tôt ou tard.

Elle en était certaine.

McGee plaça huit électrodes sur le crâne de Susan, quatre de chaque côté.

— Nous allons enregistrer séparément la partie gauche et la droite, puis les comparer, dit-il.

L'infirmière mit l'appareil en marche.

— Ne bougez pas la tête, ajouta McGee.

Elle fixa le plafond.

Le médecin observait un écran cathodique, hors de son champ de vision.

— Tout paraît normal, fit-il, légèrement déçappointé. Pas de crêtes, pas de droites. Un tracé régulier, tout à fait dans les normes.

Susan restait immobile.

— Négatif, dit-il enfin.

Susan l'entendit abaisser son interrupteur.

— Je vais comparer les deux enregistrements.

Il resta un moment silencieux.

L'infirmière alla préparer un autre appareil, pour Susan ou le patient suivant.

Finalement, McGee arrêta la machine.

— Alors ? lui demanda Susan.

— Rien.

— Rien du tout ?

— Un électroencéphalogramme n'est jamais fiable à cent pour cent. Il arrive que des patients atteints d'une grave maladie cérébrale aient un tracé normal, ou le contraire. Cet appareil facilite le diagnostic mais il ne représente que le premier stade.

Déçue, mais certaine que d'autres examens permettraient de découvrir l'origine de ses troubles, Susan lui demanda :

— Et maintenant ?

— On va prendre de nouvelles radiographies de votre crâne, dit-il en ôtant les électrodes.

★

La salle de radiographie était une pièce blanc cassé encombrée d'un matériel qui parut à Susan quelque peu démodé. Elle n'était pas experte en la matière mais elle comprit qu'on ne pouvait s'attendre à trouver un scanner dans un petit hôpital du fond de l'Oregon.

Le radiologue, un jeune homme répondant au nom de Ken Piper, développa les clichés qu'il plaça sur deux visionneuses. Avec McGee, ils les étudièrent en échangeant quelques mots à voix basse.

Susan les observait depuis le chariot.

Ils ôtèrent les radios, en placèrent d'autres contre l'écran.

Finalement, McGee se détourna, pensif.

— Qu'avez-vous trouvé? demanda Susan.

Il soupira.

— Pas de traces de lésion, en tout cas.

— Ou d'épanchement, compléta Ken Piper.

— Ni de déplacement de l'épiphyse, comme c'est parfois le cas lorsqu'un patient souffre d'hallucinations, conclut McGee. Aucune dépression de la boîte crânienne.

— Votre cerveau semble tout à fait normal, déclara joyeusement Piper, en souriant à Susan. Vous n'avez aucune raison de vous inquiéter.

Elle regarda McGee et lut ses pensées dans ses yeux. Piper se trompait, son diagnostic n'avait rien de rassurant.

— Et maintenant? s'enquit-elle.

— Il reste à effectuer une ponction lombaire, dit-il à Susan, qui tressaillit. Il existe certaines anomalies que seule cette méthode permet de découvrir.

Il téléphona aussitôt au laboratoire de l'hôpital pour demander une analyse complète des prélèvements qu'il allait faire.

— Autant en finir rapidement, déclara-t-il en raccrochant.

Si la ponction ne fut pas indolore en dépit d'une anesthésie locale, elle ne fut pas aussi douloureuse que Susan l'avait craint. Ses yeux s'emplirent de larmes et elle se mordit la lèvre inférieure, mais le plus difficile était de rester parfaitement immobile de crainte de casser l'aiguille.

McGee surveillait le manomètre.

— La pression est normale, dit-il.

Deux minutes plus tard, lorsqu'il eut terminé, Susan poussa un soupir de soulagement et se sécha les yeux.

McGee leva le tube empli de liquide céphalo-rachidien pour en étudier la transparence.

— Eh bien, au moins est-il clair.

— Dans combien de temps aurons-nous les résultats? demanda-t-elle.

— Ce sera assez long, mais il reste quelques examens à effectuer. En forme pour donner un peu de sang?

— Je ferais n'importe quoi pour servir notre cause.

★

Peu avant dix heures, McGee se rendit au labo afin de se renseigner sur le déroulement des analyses, et Murf et Phil vinrent chercher Susan pour la ramener dans sa chambre. Tout en sachant que ce qu'elle avait vécu dans l'ascenseur était imaginaire, Susan n'était pas à son aise.

— Tout le monde vous réclame, là-haut, lui dit Phil en poussant le chariot.

— Ils sont tous tristes, au premier, ajouta Murf. Tout est sinistre, sans vous.

— Comme un cachot.

— Comme un cimetière.

— Comme un hôpital.

— Nous sommes dans un hôpital, dit-elle, entrant dans leur jeu afin de se changer les idées comme ils approchaient des ascenseurs.

— C'est parfaitement exact, approuva Murf. Mais votre présence...

— ... lui donne un air de fête...

— ... on se croirait dans un palace...

— ... situé dans une lointaine contrée ensoleillée...

— ... un pays exotique et fascinant...

— ... comme la Mésopotamie.

Ils atteignirent les cabines et Susan retint sa respiration.

— Phil, je t'ai déjà dit que la Mésopotamie n'existe plus.

Murf pressa le bouton d'appel.

— Alors, où vais-je passer chaque hiver, Murf? Mon agent de voyages m'affirme que c'est en Mésopotamie.

Les portes s'ouvrirent et Susan se raidit. Mais aucun mort-vivant ne l'attendait à l'intérieur.

— Tu as un agent de voyages véreux, Phil. Il t'envoie probablement dans le New Jersey.

Seigneur, je ne peux pas vivre ainsi! pensa Susan comme ils sortaient de la cabine, au premier étage. Je ne peux passer le reste de mon existence à suspecter et craindre tout le monde. Je ne peux vivre en attendant à chaque instant qu'une monstruosité surgisse de derrière chaque porte ou du moindre recoin.

Un être humain normalement constitué pouvait-il supporter une vie qui évoquait un voyage infernal et épuisant dans la maison hantée d'une fête foraine éternelle?

Dans ces condtions, qui pouvait souhaiter continuer à vivre?

★

Jessica Seiffert n'était plus là.

Le rideau avait été repoussé.

Un aide-soignant retirait les draps et les entassait dans un chariot à linge.

— L'état de Mrs Seiffert a empiré. Elle a été transférée dans le service des grands malades, répondit-il à la question de Susan.

— C'est bien triste.

— Nul ne peut échapper à la mort.

Mais si Susan se sentait désolée pour Mrs Seiffert, elle était aussi grandement soulagée de son départ.

Et elle était heureuse de revoir la fenêtre, bien que le ciel fût gris et brumeux, annonciateur d'un nouvel orage.

★

Susan avait regagné sa chambre depuis dix minutes quand Mrs Baker entra avec un plateau.

— Vous n'avez pas pris de petit déjeuner et vous avez grand besoin de reprendre des forces.

— Je meurs de faim.

— Je n'en doute pas, répondit l'infirmière en posant le plateau sur la table de lit. Comment vous sentez-vous?

— J'ai l'impression d'être une pelote à épingles, déclara Susan, qui ressentait une douleur sourde à l'endroit de la ponction.

— C'est McGee qui s'est occupé de vous?

— Oui.

— Alors, estimez-vous heureuse. Ils ne sont pas tous aussi doux que lui.

— Oui, mais je crains qu'il ne soit en retard à son cabinet.

— Le mercredi, il ne reçoit ses clients que l'après-midi.

— Oh, je l'avais oublié. Hier, nous nous sommes vues en coup de vent et je ne vous ai pas demandé comment s'était passée la soirée de lundi.

Mrs Baker cilla, fronça les sourcils.

— La soirée de lundi ?

— Votre rendez-vous. Vous savez... le bowling et les hamburgers...

Pendant deux secondes, l'infirmière ne parut pas comprendre, puis son visage s'illumina.

— Oh ! bien sûr. Mon beau bûcheron.

— Celui qui a les épaules comme une armoire à glace.

— Et dont les mains sont énormes, dures et *douces*.

Susan sourit.

— Je savais que vous ne l'aviez pas oublié.

— Ce fut une nuit mémorable.

— Heureuse de l'apprendre.

Une expression friponne modifia les traits de Mrs Baker.

— Nous avons fait une partie de quilles. Et pas seulement au bowling...

Susan eut un petit rire.

— Oh, Mrs Baker, je ne vous aurais jamais crue aussi dévergondée.

Les yeux de l'infirmière brillèrent derrière ses lunettes cerclées de blanc.

— La vie est insipide si l'on n'y ajoute pas un peu de sel de temps en temps.

Elle déplia une serviette en papier qu'elle coinça dans le col du pyjama de Susan.

— Je vous soupçonne de ne pas vous contenter d'en ajouter une simple pincée.

— Une poignée de gros sel, parfois.

— Je me doutais que vous étiez une épicurienne.

— Non, une méthodiste. Mais nous savons aussi nous amuser. Maintenant, bon appétit. Il est agréable de vous voir reprendre du poids.

Susan mangea tout en observant le ciel agité. Des nuages de toutes les nuances de gris couraient d'un bout à l'autre de l'horizon.

Peu après onze heures, Jeff McGee passa la voir.

— Désolé d'avoir tant tardé. J'ai reçu les résultats des analyses il y a un moment, mais je me trouvais dans le service des grands malades auprès de Jessica Seiffert.

— Comment va-t-elle?

— La fin est proche.

— Comme c'est triste.

— Etant donné qu'elle est condamnée, je suis malgré tout heureux que sa fin soit rapide. Elle a toujours été active et le fait de se retrouver clouée dans un lit a dû être très pénible pour elle, dit-il avant de secouer la tête, puis de faire claquer ses doigts sous l'impulsion d'une pensée soudaine. Dites-moi, il m'est venu une chose à l'esprit pendant que je me trouvais près d'elle. Savez-vous pourquoi vous avez vu le cadavre de Jerry Stein, alors que vous la regardiez? Quelle est l'étincelle qui a mis le feu aux poudres?

— Quelle étincelle?

— Leurs initiales.

— Leurs initiales? répéta-t-elle, sans comprendre.

— Jerry Stein et Jessica Seiffert... J.S. tous les deux.

— Oh, je n'y avais pas pensé!

— Pas au niveau *conscient*. Mais rien n'échappe au subconscient. C'est probablement cette coïncidence qui est à l'origine de votre obsession au sujet du rideau, et qui l'a rendu terrifiant à vos yeux. Si c'est le cas, vos crises n'ont pas été spontanées mais déclenchées par de petits détails qui ravivaient vos souvenirs de l'Antre du tonnerre. Une fois ce lien établi inconsciemment, il engendre une hallucination.

Cette théorie l'enthousiasmait et Susan lui demanda :

— Si c'est le cas, où est la différence?

— Je n'ai pas eu le temps d'étudier toutes les possibilités mais cela indiquerait une cause psychologique.

Ce qu'elle entendait ne lui plaisait guère.

— En somme, si mes hallucinations ne sont pas provoquées par un cerveau endommagé, c'est que mon esprit est malade. Voilà ce que vous voulez dire ? Mon cas relèverait de la psychiatrie ?

— Non, non, se hâta de rétorquer McGee. Nous manquons d'éléments pour arriver à une telle conclusion. Pour l'instant, l'hypothèse d'une cause physique reste toujours la plus vraisemblable, compte tenu de votre blessure à la tête et de votre coma.

Susan se raccrochait désespérément à l'espoir que ses troubles étaient dus à une lésion, à un petit caillot de sang qu'une intervention chirurgicale permettrait de faire disparaître. Si elle avait confiance en la médecine, qui était une science, elle se méfiait de la psychiatrie qu'elle considérait comme une sorte de pratique vaudou.

Elle secoua la tête.

— Vous vous trompez au sujet des initiales. Mes hallucinations n'ont pas une origine psychologique.

— J'ai tendance à partager votre opinion mais je ne peux pour l'instant rejeter aucune possibilité.

— Moi, si.

— Je suis médecin et je dois rester objectif.

Il prit sa main, ce qui eut sur elle un effet merveilleusement apaisant.

— Et les analyses du liquide céphalo-rachidien ? s'enquit-elle.

Avec sa main libre, McGee tiralla son oreille.

— Le taux en protéines est normal. Et nous avons effectué une numération globulaire. Un nombre anormalement élevé de globules rouges aurait indiqué une hémorragie à l'intérieur du crâne, à la base du cerveau, ou quelque part le long de l'épine dorsale.

— Mais leur nombre était normal, je présume ?

— Oui. Trop de leucocytes auraient indiqué une infection cérébrale ou spinale.

— Mais leur nombre était également normal.

— Oui.

Susan avait l'impression d'être cernée par une armée de faits indiscutables et impitoyables qui lui hurlaient : *Tout fonctionne parfaitement. Ton corps ne t'a pas trahie. Ton cerveau non plus. C'est ton esprit qui est malade, Susan. Tu es folle, c'est tout. Folle à lier. Il faudra bien que tu l'acceptes...*

Elle essaya de ne plus écouter ces voix intérieures, de filtrer ce flot de doute et de confusion.

— Les analyses n'ont donc rien révélé d'anormal ? demanda-t-elle sur un ton plaintif.

— Tout est bon, même le glucose. Dans certains cas, des bactéries s'attaquent au sucre et un taux peu élevé est significatif. Mais ce dernier est lui aussi normal.

— Je suis donc l'exemple type d'une femme de trente-deux ans en parfaite santé, dit-elle avec ironie.

McGee était visiblement troublé par ses difficultés à trouver l'origine de ses problèmes.

— Non. Il y a forcément *quelque chose* qui cloche.

— Quoi ?

— Je l'ignore.

— Ce n'est pas très rassurant.

— Nous poursuivrons nos recherches.

— J'ai l'impression que je ne suis pas près de quitter l'hôpital.

— Détrompez-vous. Nous serons rapidement fixés. Il le faut.

— Mais, comment ?

— Tout d'abord, je compte emporter chez moi les électroencéphalogrammes, les radiographies et les analyses pour les étudier à tête reposée. A la loupe, s'il le faut. Quelque chose a pu nous échapper, ce matin. Un détail... une anomalie imperceptible.

— Et si vous ne trouvez rien ?

Il hésita, parut ennuyé, puis déclara :

— Eh bien... il reste un dernier examen.

— Lequel ?

— Il n'est ni simple ni sans risque.

— Je m'en doute à en juger par votre expression.

— Une angiographie cérébrale. C'est une technique de diagnostic que nous réservons habituellement aux victimes de chocs physiquement handicapées qui doivent subir une intervention chirurgicale, lorsqu'il faut retirer un caillot de sang ou juguler une hémorragie.

— Pouvez-vous me fournir quelques précisions ?

— Nous injectons une substance radio-opaque dans le sang, entre le cœur et le cerveau, autrement dit dans le cou. Assez désagréable.

— Je le devine.

La main de Susan se porta à son cou et le massa machinalement.

— Et ce n'est pas entièrement sans risque. Un faible pourcentage de patients ont des complications pouvant conduire à la mort. Je dirais même un pourcentage insignifiant.

— Mais si vous en avez parlé, il ne peut être considéré comme négligeable.

— Exact.

— Il s'agit d'une sorte de radiographie plus élaborée, n'est-ce pas ?

— Oui. Dès que la substance radio-opaque atteint les vaisseaux sanguins du cerveau, nous prenons une importante série de clichés pour suivre sa dispersion. Cela permet d'obtenir une image parfaitement détaillée du système circulatoire cérébral. Nous connaissons avec précision la taille et la forme de chaque veine et artère. Nous pouvons repérer le moindre caillot, la moindre hémorragie, le moindre renflement ; absolument tout, même microscopique.

— La méthode pour aller au fond des choses.

— Habituellement, je n'ai recours à l'angiographie qu'en cas de perte de la parole, de paralysie des centres moteurs, ou lorsque les troubles mentaux dus à une crise d'apoplexie empêchent le patient de mener une existence normale.

— Ce qui paraît être mon cas.

— Oh, non. Absolument pas. Il existe une énorme différence entre ce genre de choses et vos hallucinations. Croyez-moi, ce qui vous arrive est beaucoup moins grave.

Ils restèrent un moment silencieux. McGee lui tenait les mains, sans rien dire.

— Et si vous ne découvrez rien en étudiant les

radios et les analyses, ce soir? demanda-t-elle finalement.

— Simple supposition.

— Est-ce que vous me ferez une angiographie?

Il ferma les yeux pour réfléchir.

Susan nota qu'un tic nerveux agitait sa paupière gauche.

— Je ne sais pas, dit-il enfin. Ça dépend de bien des choses. Les médecins ont une vieille maxime : « Si tu ne peux améliorer l'état d'un malade, abstiens-toi de l'aggraver. » Si rien ne démontre que votre problème est d'ordre physique, faire une angiographie serait...

— C'est d'origine physique, insista Susan.

— Même si c'était prouvé avec suffisamment de certitude pour justifier une angiographie, j'attendrais pour cela que vous ayez repris des forces.

Elle passa la langue sur ses lèvres sèches et gercées.

— Et si l'angiographie ne révèle aucune cause physique et que les hallucinations continuent à se manifester?

— Nous aurons épuisé toutes les ressources offertes par la médecine traditionnelle.

— Je ne vous crois pas.

— Nous devrons nous orienter dans une autre voie.

— Non.

— Susan, consulter un psychiatre n'est pas une chose honteuse.

— Là n'est pas la question. Je ne crois pas qu'il obtiendrait le moindre résultat.

— La psychiatrie moderne a...

— Non, l'interrompit-elle, épouvantée à la perspective de devoir suivre un traitement interminable, d'avoir pendant des années et des années ces épouvantables hallucinations. Non, vous devez trouver ce qui ne va pas. Vous le devez.

Il estima préférable de changer de sujet.

— Je ferai de mon mieux.

— C'est tout ce que je vous demande.

— Je ne me suis pas encore avoué vaincu.

— Je n'en ai jamais douté.

Il dut noter que ses lèvres étaient sèches, car il lui demanda :

— Un verre d'eau ?

— Oui, merci.

Il la servit et elle but. Puis il reposa le verre sur la table de chevet.

— Et votre travail ? Avez-vous eu quelques réminiscences ?

Sa question la surprit. Depuis son coup de téléphone à Philip Gomez, deux jours plus tôt, elle avait remisé cette question au fin fond de son esprit, comme si la Milestone Corporation la terrorisait. Et c'était le cas. Ce simple nom lui donnait des frissons. En outre, elle eut la brusque conviction qu'il existait un rapport entre ses hallucinations — ces rencontres avec des hommes morts — et ses activités professionnelles.

McGee dut percevoir sa peur car il se pencha vers elle, pour lui demander :

— Susan, quelque chose ne va pas ?

Elle décida d'être franche et lui dit qu'il devait exister un lien entre la Milestone Corporation et ces apparitions surnaturelles.

— Un lien ? répéta McGee, perplexe. Quel genre de lien ?

— Je n'en ai pas la moindre idée.

— Auriez-vous eu de telles hallucinations *avant* votre accident ?

— Non, non. J'en suis certaine.

— Vous n'en paraissez pas tout à fait convaincue.

Elle réfléchit quelques minutes avant de répondre :

— Si, si, j'en suis certaine. Je n'aurais pu l'oublier.

McGee pencha la tête pour l'observer.

— S'il existe une cause physique à votre état, ce que nous souhaitons tous deux, il s'agit d'une blessure due à votre accident.

— Je sais.

— Votre travail n'entre donc pas en ligne de compte. En outre... si nous partons de l'hypothèse d'un surmenage, ou quelque chose de ce genre...

— ... nous en revenons à un problème psychologique, acheva-t-elle à sa place. Dépression nerveuse.

— Oui.

— Et ce n'est pas le cas.

— Alors, quel pourrait être le lien avec la Milestone ?

— Je l'ignore.

— Mais vous vous sentez terrorisée ?

— Oui.

— L'explication est simple. Votre peur de la Milestone a les mêmes origines que votre peur de ce rideau. Vous ne pouviez voir ce qu'il y avait au-delà, ce qui laissait le champ libre à votre imagination. Votre travail représente également l'inconnu, et votre esprit comble ce vide avec des hypothèses effrayantes. Peut-être à cause d'une infime lésion cérébrale, vous êtes obsédée par l'Antre du tonnerre et par les événements qui se sont déroulés dans cette caverne. Chaque fois qu'il en a l'occasion, votre esprit vous fait revivre cet événement. Vos hallucinations sont sans aucun lien avec votre travail car il n'existe aucun rapport entre la Milestone et l'Antre du tonnerre. Vous en établissez un parce que... eh bien, parce que c'est ce qui se produit lorsqu'on est *obsédé* par quelque chose. Comprenez-vous ?

— Oui.

— Vous le savez, mais la Milestone vous effraie malgré tout.

— Chaque fois que vous prononcez ce nom, je me sens parcourue par un frisson glacial.

Elle nota qu'elle avait en effet la chair de poule.

McGee, toujours assis sur le lit, se redressa sans lâcher sa main.

— Vos doigts sont glacés, dit-il. Et ils ne l'étaient pas au début de cette conversation.

— Vous voyez ?

— Cette terreur de la Milestone n'est qu'une manifestation secondaire de votre obsession, une version anodine de la crise au cours de laquelle vous avez vu le cadavre de Jerry. Vous n'avez aucune raison de redouter cette société, pas plus que le travail que vous y faisiez.

Elle hocha la tête, consternée par la nature toujours plus complexe de son état.

— Vous avez sans doute raison.

— Vous *savez* que j'ai raison.

Elle soupira.

— Voulez-vous que je vous fasse un aveu ? Je préférerais que les fantômes existent, que les morts sortent de leur tombe pour se venger, comme dans certains films d'horreur. Il me serait plus facile d'affronter la situation. Pas de ponction, pas d'angiographie, pas de doutes pour me torturer. Je n'aurais qu'à m'adresser à un exorciste qui renverrait tous ces esprits démoniaques en enfer.

McGee fronça les sourcils et la fixa, surpris.

— Je n'aurais jamais pensé vous entendre tenir de tels propos !

— Rassurez-vous, je sais que les fantômes n'existent pas. En outre, les spectres sont transparents, à moins qu'ils ne soient recouverts d'un drap avec deux trous pour les yeux. Ils n'auraient pas un corps chaud et matériel comme les êtres que je rencontre depuis quelque temps. (Elle lui sourit.) Oh, je comprends votre brusque inquiétude. Vous craignez que je ne vous laisse tomber pour un exorciste, pas vrai ?

Il sourit à son tour.

— Exact.

— Vous avez peur que je ne préfère la Bible et le crucifix au stéthoscope ?

— Me feriez-vous une chose pareille ?

— Jamais. Le risque serait trop grand. Que se passerait-il si je m'adressais à un prêtre catholique et que les spectres soient protestants ?

Elle voyait que McGee n'était pas dupe de sa feinte bonne humeur, qu'il la savait toujours déprimée et terrorisée. Mais il jouait le jeu, comprenant que s'attarder plus longtemps sur ses problèmes lui eût été néfaste. Elle avait besoin de changer de sujet et de plaisanter.

— Pour autant que je sache, un exorcisme est censé être efficace quelle que soit la religion de l'esprit concerné, dit-il. Il y aurait une belle pagaille dans l'audelà si la logique entrait en ligne de compte. Parce que si un prêtre catholique ne pouvait exorciser un fantôme protestant, un crucifix laisserait de marbre les vampires juifs.

— Et comment repousserait-on ces derniers?

— En brandissant devant eux un mezuzah.

— Ou des mets non kascher.

— Ce ne serait efficace qu'avec des vampires juifs pratiquants. Et vous oubliez les musulmans.

— Vous voyez? dit-elle. C'est trop compliqué. Je ne peux engager un prêtre pour vous remplacer.

— Ah, il est agréable de se savoir utile.

— Oh, j'ai tellement besoin de vous, lui affirmat-elle.

Elle sentit que sa voix changeait, qu'elle perdait son ton amusé sous l'influence des sentiments qu'il lui inspirait.

— Ça ne fait absolument aucun doute.

Sa hardiesse l'étonnait autant que McGee mais elle ne pouvait se taire tant elle était impatiente d'exprimer ce qu'elle éprouvait depuis deux jours.

— J'ai besoin de vous, Jeff. Et, si vous le désirez, je vous le répéterai tant qu'il me restera un filet de voix.

Il la fixa avec des yeux d'un bleu encore plus profond que d'habitude.

Elle tenta de lire ce qu'ils voulaient exprimer mais ne put percer leur secret.

Puis Susan se demanda si elle n'avait pas agi stupidement. Elle avait pu se méprendre sur les raisons de son attitude à son égard, assimiler à de tendres sentiments une simple sollicitude professionnelle. Si c'était le cas, elle allait vivre les instants les plus gênants de toute son existence.

Elle aurait voulu pouvoir remonter le temps d'une minute, effacer ce qu'elle venait de dire.

Mais McGee l'embrassa.

Et ce n'était pas un baiser chaste et timide, semblable à ceux que le médecin avait déjà déposés sur sa joue. McGee colla ses lèvres aux siennes et elle répondit à son baiser avec une ardeur qui ne lui ressemblait guère. C'était différent de toutes ses expériences précédentes. Cette fois, elle était elle aussi emportée par la passion et le désir. Les mains de McGee prirent son visage avec douceur. Il semblait craindre qu'elle n'eût quelque regret et ne vînt à s'écarter de lui... Il n'aurait pu supporter cette éventualité.

Lorsque leurs lèvres se séparèrent enfin et qu'ils se regardèrent pour s'étudier, découvrir en quoi leur baiser les avait changés, Susan lut un étrange mélange d'émotions dans l'expression de McGee : bonheur, surprise, confusion, embarras, et bien d'autres sentiments encore.

Elle crut discerner de la peur dans ses yeux.

De la peur?

Avant d'en comprendre le sens, avant même d'être sûre de son interprétation de ce qu'elle découvrait dans ses yeux, il rompit le silence.

— Vous m'avez surpris. Je...

— Je craignais de vous avoir choqué ou...

— Non, non. Mais je... je n'avais pas compris...

— ... que tous deux...

— ... ce sentiment était réciproque.

— Ce n'était qu'une supposition...

— ... et ce baiser a mis fin à vos doutes...

— Mon Dieu, oui !

Il l'embrassa à nouveau, sans s'attarder, les yeux fixés sur la porte. Pouvait-elle le lui reprocher? Embrasser une patiente n'était pas ce qu'on pouvait attendre d'un médecin. Elle aurait aimé l'étreindre et le serrer contre elle, le posséder et être possédée par lui. Mais elle savait que ce n'était ni le lieu ni le moment.

— Depuis combien de temps... commença-t-elle.

— Avant même que vous ne sortiez du coma, peut-être...

— Mais... vous ne me connaissiez même pas.

— Disons que ce n'était pas véritablement de l'amour, mais quelque chose de très proche.

— J'en suis ravie.

— Et quand vous avez repris connaissance...

— Vous avez découvert mon charme et avez été pris au piège.

— Tout juste. J'ai découvert que vous possédiez ce

que Mrs Baker appelle du « cran ». J'aime les femmes qui ont du cran.

Après quelques secondes de silence, elle demanda :

— Est-il possible de tomber amoureux aussi vite ?

— N'en avons-nous pas la preuve ?

— Je ne sais presque rien de votre vie.

— Elle est ténébreuse.

— Je veux tout savoir sur votre compte. Mais je suppose qu'ici...

— Ce n'est pas le lieu le plus approprié pour les confidences. Nos rapports ne devront pas être plus familiers que ceux qui existent entre un médecin et sa patiente. Il faudra attendre que vous quittiez l'hôpital, nous nous retrouverons dans un lieu plus discret...

— C'est en effet plus sage, dit-elle malgré son désir de le caresser et d'être caressée. Ne pourrons-nous pas faire quelques entorses au règlement ? Quelques baisers sur la joue de temps en temps ?

Jeff sourit et feignit d'étudier dignement la question.

— Eh bien... voyons voir... pour autant que je m'en souvienne, il n'y a rien dans le serment d'Hippocrate qui interdise à un médecin d'embrasser chastement une patiente sur la joue.

— Pourquoi ne pas commencer tout de suite ?

Il s'exécuta sur-le-champ.

— Sérieusement, dit-il, je pense que nous devons avant tout penser à votre rétablissement. Le reste suivra.

— Vous m'offrez de nouvelles raisons de lutter.

— Et vous remporterez la victoire, Susan. Nous la remporterons ensemble.

En le regardant à nouveau, elle comprit que c'était bien de la peur qu'elle avait lue dans son regard, un instant plus tôt. Même s'il se montrait optimiste, il se demandait au fond de lui-même s'il parviendrait à mettre un terme à ces hallucinations terrifiantes. Il ne se faisait pas d'illusions et savait qu'il pouvait échouer. De la peur ? Oui, il avait des raisons d'avoir peur. Il craignait d'être amoureux d'une femme sur la pente de la dépression nerveuse ou, pire, d'une femme menacée d'achever son existence dans un asile d'aliénés.

— N'ayez pas peur, lui dit-elle.
— Je n'ai pas peur.
— Je suis forte.
— Je le sais.
— Assez forte pour m'en tirer... avec votre aide.

Il déposa un autre baiser sur sa joue.

Et elle repensa à ce qu'elle avait dit un peu plus tôt au sujet des fantômes. Si seulement ils avaient existé. Si seulement son problème avait été aussi simple. De simples spectres. Des morts-vivants qu'une prière appropriée et une aspersion d'eau bénite auraient renvoyés au royaume des ténèbres. Qu'il aurait été agréable de découvrir que l'origine de ses problèmes n'était pas en elle ! Même si elle savait que c'était impossible, elle eût aimé découvrir la preuve que Harch et les autres étaient de véritables spectres, et qu'elle n'était pas folle.

Elle ignorait que son vœu serait bientôt exaucé... ou presque.

12

Une heure et demie après le déjeuner, deux nouveaux aides-soignants vinrent la chercher pour la conduire au service de rééducation physique de Mrs Atkinson. Aucun d'eux n'avait un visage connu d'elle.

Devant les ascenseurs, elle s'apprêta au pire mais rien ne se produisit.

Sa dernière hallucination remontait à la veille, lorsqu'elle avait vu le cadavre de Jerry Stein dans le lit de Jessica Seiffert. Comme les aides-soignants la poussaient dans les couloirs du rez-de-chaussée, elle compta les heures qui s'étaient écoulées depuis : presque seize.

Pratiquement seize heures de tranquillité.

Elle n'aurait peut-être pas d'autres crises. Ces hallucinations pouvaient peut-être cesser aussi brusquement qu'elles avaient commencé.

Si la séance de rééducation fut plus fatigante que

celle de la veille, le massage lui fit davantage de bien et la douche ne représenta pas pour elle une épreuve.

Au retour, elle retint à nouveau sa respiration devant les portes de la cabine.

Rien ne se produisit.

Il lui semblait qu'elle serait à jamais débarrassée de ses hallucinations si elle parvenait seulement à ne pas en avoir de toute une journée. Vingt-quatre heures sans fantômes suffiraient peut-être à purifier son esprit et son âme.

Plus que sept heures d'attente.

Elle regagna sa chambre sans incident. Deux bouquets de fleurs l'attendaient, auxquels étaient épinglées des cartes de visite. Elle lut sur la première des vœux de rétablissement rapide et la signature de Phil Gomez. La seconde disait simplement : « Vous manquez aux bagnards du labo. » Si elle reconnut certaines signatures, ce fut uniquement parce que Gomez avait cité quelques noms au cours de leur conversation téléphonique du lundi matin. Elle étudia la liste : Ella Haversby, Eddie Gilroy, Anson Breckenridge, Tom Kavinksy... Neuf noms en tout, qu'elle ne put mettre sur aucun visage.

Et, comme chaque fois qu'il était question de la Milestone Corporation, elle fut saisie de frissons fébriles.

Sans en connaître la raison.

Déterminée à garder son attitude positive, elle tenta d'oublier la société. Les fleurs étaient belles.

Elle voulut lire mais la séance de rééducation et la douche l'avaient épuisée. Elle s'endormit d'un sommeil sans rêves.

A son réveil, sa chambre était plongée dans la pénombre. Le soleil avait basculé derrière les montagnes et le ciel nuageux s'assombrissait déjà. Elle bâilla, s'assit et frotta ses yeux du dos de la main.

Le second lit était toujours inoccupé.

Le réveil de la table de chevet lui apprit qu'il était seize heures trente : dix-neuf heures s'étaient écoulées depuis sa dernière crise. Elle se demanda si l'épanouissement de ses relations avec Jeff McGee n'était pas en partie responsable de la disparition des spectres. Aimer quelqu'un et être aimée ne pouvait avoir d'effets néfastes. Elle avait refusé d'admettre que ses problèmes pouvaient être d'ordre psychologique mais, à présent que ses cauchemars semblaient appartenir au passé, elle acceptait plus facilement cette hypothèse. L'amour de Jeff était peut-être la meilleure thérapie dans son cas.

Elle se leva, chaussa ses mules, gagna le cabinet de toilette et donna de la lumière.

La tête décapitée de Jerry Stein était posée sur le couvercle de la cuvette des toilettes.

Susan s'immobilisa; dans la clarté fluorescente et blafarde, son visage était aussi blanc que les murs de la petite pièce. Elle ne voulait pas croire ce que lui révélaient ses yeux.

Ça n'existe pas.

La tête était dans le même état de décomposition que la nuit précédente, lorsque Jerry s'était levé du lit de Jessica en gémissant le nom de Susan entre ses lèvres dégoûtantes de putréfaction. Son épiderme avait encore les détestables nuances gris-vert. Elle voyait le pus séché aux commissures des lèvres; les ampoules hideuses sur la lèvre supérieure et autour du nez tuméfié; les marbrures noirâtres et suintantes aux coins des yeux. Des yeux opaques, laiteux, écarquillés, et qui saillaient de leurs orbites. Leur blanc était jaunâtre et injecté de sang, mais au moins étaient-ils aveugles comme doivent l'être les yeux d'un mort. La tête avait été tranchée et la chair déchiquetée qui pendait à la base du cou évoquait une collerette ridiculement froissée. Un petit objet brillant était en partie dissimulé dans un repli de chair grise. Un pendentif. Un pendentif religieux : le petit mezuzah d'or qui n'avait jamais quitté le cou de Jerry Stein.

Cette chose n'est pas réelle, pas réelle, pas réelle...

Cette phrase magique paraissait encore moins efficace qu'à l'accoutumée. Plus elle la regardait, plus la tête devenait nette et *matérielle.*

Figée par l'horreur, mais décidée à chasser cette vision, Susan se rapprocha d'un pas.

Les yeux morts la fixaient sans la voir.

Cette chose n'existe pas.

Elle tendit une main hésitante.

La tête ne risquait-elle pas de revenir à la vie lorsqu'elle la toucherait? Cette bouche béante et putréfiée n'allait-elle pas happer ses doigts et refuser de les lâcher? Et si...

Arrête! s'ordonna-t-elle avec colère.

Elle entendit un étrange gémissement... et prit conscience qu'il s'agissait de sa propre respiration.

Détends-toi, se dit-elle. Bon sang, tu es trop vieille pour croire à ces balivernes.

Mais la tête de Jerry refusait de s'évanouir comme un simple mirage.

Finalement, elle avança ses doigts dans une atmosphère aussi dense et résistante que de l'eau. Ils frôlèrent la joue du mort.

Elle était solide.

Elle semblait réelle.

Froide et tachée d'humeurs infâmes.

Susan retira brusquement sa main. Elle tremblait et étouffait.

Les yeux voilés par la cataracte ne bougèrent pas.

Elle abaissa le regard vers ses doigts. Ils étaient souillés d'un fluide visqueux et argenté. L'écume de la putréfaction.

Prise de nausées, elle essuya frénétiquement ses doigts gluants sur une jambe de son pyjama bleu, qui resta taché par la substance répugnante.

Cela n'existe pas, n'existe pas, n'existe pas...

Malgré ses incantations censées chasser la folie, elle voulait s'enfuir, gagner le couloir, le poste des infirmières où elle trouverait de l'aide. Elle pivota...

... et se figea.

Ernest Harch se tenait sur le seuil du cabinet de toilette et lui bloquait le passage.

— Non, fit-elle d'une voix pâteuse.

Harch sourit, pénétra dans le réduit et en referma la porte derrière lui.

Il n'existe pas.

— Surprise, fit-il de sa voix grave et familière.

Il ne peut me faire de mal.

— Salope.

Harch avait renoncé à son identité d'emprunt. Il avait troqué son pyjama et sa robe de chambre contre les vêtements qu'il portait dans l'Antre du tonnerre, la nuit où il avait tué Jerry Stein, treize ans plus tôt. Chaussures et jean noirs. Chemise bleu foncé. Elle s'en souvenait car, dans cette grotte, sous la clarté vacillante des bougies, il lui avait rappelé les nazis des vieux films de guerre. Un SS ou un membre de la Gestapo. Elle ne se souvenait plus lesquels avaient un uniforme noir. Son visage carré, ses cheveux blond clair, ses yeux de glace... tout contribuait à le faire ressembler à un membre des sections d'assaut : une apparence qu'il entretenait avec soin, dans un plaisir pervers.

— Mon petit cadeau te fait-il plaisir ? demanda Harch en désignant la tête tranchée.

Elle ne put répondre.

— Je sais que tu tenais beaucoup à ton youpin et c'est pourquoi j'ai pensé à t'en offrir un morceau. En souvenir. N'est-ce pas une charmante attention ?

Il eut un petit rire.

Brusquement, Susan retrouva le don de la parole.

— Vous êtes mort, vous entendez, vous êtes mort !

Ne joue pas à ce petit jeu, se reprocha-t-elle. Te rends-tu compte de ce que tu viens de dire ?

— Oui, je suis mort.

— Je refuse de vous écouter, rétorqua-t-elle en secouant la tête. Vous n'existez pas !

Il s'avança vers Susan qui se retrouva adossée au mur, coincée entre le lavabo et la cuvette des toilettes.

Les yeux de Jerry Stein fixaient le néant, indifférents.

Une des mains puissantes de Harch saisit le poignet gauche de Susan.

Elle tenta de dégager son bras et en fut incapable.

Souriant, il l'attira vers lui et plaqua sa main captive contre sa poitrine.

— Je ne te parais pas assez réel peut-être ?

Elle prit une inspiration et le poids de l'air lui parut écrasant : elle allait s'effondrer, sombrer dans l'inconscience.

Non! pensa-t-elle, terrifiée à la pensée de se réveiller folle. Je ne dois pas m'évanouir. Je dois résister. Lutter de toutes mes forces.

— Alors, est-ce que je te semble toujours immatériel, salope?

Sous cette lumière crue, ses yeux gris paraissaient presque blancs... comme treize ans plus tôt, sous la clarté vacillante des bougies.

Il promenait la main de Susan sur sa poitrine. Le tissu était rêche et les boutons de la chemise froids sous ses doigts.

Les boutons? Pouvait-elle s'imaginer qu'elle touchait des boutons dans une hallucination? Etait-il possible que de tels détails soient issus de son imagination?

— Alors, crois-tu toujours que je suis une hallucination?

Elle trouva encore la force de nier son existence.

— Non. Non. Non.

— *Non?*

— Vous n'êtes pas réel. Vous ne pouvez me faire de mal!

— Il est facile de te prouver le contraire, petite salope; oh, oui, très facile.

Il déplaça la main de Susan de sa poitrine à son épaule; il lui fit palper son biceps.

Elle tenta à nouveau de se dégager et échoua encore. La main du mort broyait son poignet comme dans un étau.

Il ramena sa main sur sa poitrine et l'abaissa vers son ventre.

— Suis-je bien réel? Alors, quelle est ton opinion, Susan? Suis-je réel?

Elle sentit quelque chose s'effondrer en elle. L'espoir, les ultimes vestiges de sa maîtrise de soi. Les deux peut-être?

Ce n'est qu'une vision, une image engendrée par mon cerveau malade. Une vision, une simple vision. Elle va disparaître. Quelle peut être la durée d'une hallucination?

La réponse la terrorisa. Ne risquait-elle pas de se

poursuivre jusqu'au moment où elle rendrait son dernier soupir dans une cellule capitonnée?

Harch dirigeait sa main vers son bas-ventre.

Il était excité. Elle pouvait sentir la chaleur et la rigidité de son sexe à travers le jean.

Mais il *est mort*.

— Tu me *sens*? demanda-t-il, graveleux, en ricanant. Suis-je *réel* ou pas?

Au sein du tourbillon qui torturait son esprit, une hilarité de démente commença à monter en elle comme une pieuvre vorace qui viendrait engloutir ce qui lui restait de raison.

— Vendredi, je te pénétrerai. Sais-tu en quoi la nuit de vendredi est une nuit spéciale? C'est celle du septième anniversaire de ma mort. Cela fera sept ans que ce sale nègre m'a tranché la gorge. C'est pourquoi j'attendrai vendredi pour planter ma verge dans ton sexe, avant d'utiliser à mon tour un couteau.

Un petit rire aigu s'étouffa dans la gorge de Susan et elle comprit qu'elle ne devait sous aucun prétexte le laisser échapper. C'était le rire de la folie. Si elle s'y abandonnait une seule fois, il n'aurait jamais de fin. Elle finirait ses jours recroquevillée dans le coin d'une cellule, à glousser sans raison.

Harch lâcha sa main.

Elle l'écarta aussitôt de son bas-ventre.

Il la repoussa contre le mur, colla son corps au sien et sourit.

Elle voulait se dégager mais il l'immobilisait.

— J'aurais dû m'occuper de toi il y a treize ans, dit-il. On aurait dû prendre un peu de bon temps dans cette foutue grotte, avant de te trancher la gorge et de te balancer dans un trou avec ce sale juif.

Il n'existe pas, il ne peut me faire de mal, il n'est pas...

Non, à quoi bon poursuivre ces litanies stupides? Harch était bien réel.

Ce qui était naturellement impossible.

Il existait, il était devant elle, il pouvait lui faire du mal et ne s'en priverait pas.

Elle renonça à tenter de se raisonner et rejeta sa tête en arrière pour hurler.

Harch recula, inclina la tête et l'observa avec amusement. Ses cris semblaient être pour lui une douce musique.

Personne n'accourut pour découvrir l'origine de ses hurlements.

Où étaient les infirmières, les aides-soignants, les médecins? Pourquoi ne l'entendaient-ils pas?

Harch se pencha vers elle et ses yeux luisaient comme ceux d'un animal pris dans les faisceaux des phares d'une voiture.

— Donne-moi un acompte sur ce qui m'attend vendredi, dit-il. Un baiser. Un gentil petit baiser, d'accord? Donne un petit baiser à tonton Ernie.

Que Harch fût ou non une hallucination, elle ne pouvait abdiquer totalement. Elle refusait de l'embrasser, même en rêve. Elle détourna la tête pour éviter ses lèvres et pivota comme la bouche de l'homme cherchait la sienne.

— Garce, tu réserves tes baisers à ce juif?

Il recula d'un pas, regarda la tête posée sur le couvercle de la cuvette, puis Susan, puis à nouveau la tête. Son sourire était menaçant et le ton de sa voix trahissait un plaisir diabolique.

— Tu gardes tes baisers pour ce pauvre vieux Jerry Stein, n'est-ce pas? C'est touchant. Une fidélité à toute épreuve, au-delà de la mort. Je suis ému. Sincèrement ému. Tu as raison, tu ne dois embrasser que Jerry.

Harch se pencha vers la tête putréfiée.

Non.

Il étendit la main.

Susan pensa aux chairs décomposées et eut un relent de bile amer au fond de la gorge.

Sans cesser de parler de la fidélité de Susan, Harch saisit les cheveux bruns de la chose macabre.

Tremblant d'épouvante, Susan sut qu'il allait la contraindre à embrasser ces lèvres glacées et suintantes.

Elle vit une opportunité de s'enfuir et la saisit sans hésiter. Elle hurla et bondit. Harch lui tournait le dos pour soulever la tête. Elle se rua entre l'homme et le lavabo, tourna le bouton de porte et se précipita dans la chambre. Elle avait tiré le battant derrière elle, la main de Harch ne s'était pas abattue sur son épaule.

Elle courut vers son lit : le bouton d'appel... il fallait qu'elle l'atteigne avant que Harch ne la rattrape. Elle n'aurait jamais le temps !

Elle pivota et courut vers la porte du couloir.

Elle l'ouvrit en hurlant à l'instant même où Mrs Baker arrivait. Les deux femmes se heurtèrent et l'infirmière dut la soutenir.

— Que se passe-t-il, ma chérie ?
— Le cabinet de toilette.
— Vous êtes en nage.
— *Dans le cabinet de toilette !*
— Qu'y a-t-il dans le cabinet de toilette ?
— Lui.
— Qui ?
— Ce sale type !
— Qui ?
— Harch.
— Oh, non, non, non.
— Si.
— Susan, vous avez fait un...
— Il est là.
— Il n'existe pas.
— Si.
— Venez.
— Où ?
— Venez.
— Non, je vous en prie !
— Venez avec moi.

Elle parvint à traîner Susan à l'intérieur de la chambre.

— Mais, la tête de Jerry...
— Ma pauvre enfant.
— La tête décapitée...
— Il n'y a rien.
— Harch voulait que j'embrasse... cette chose.
— Venez !

154

Elles avaient atteint la porte du cabinet de toilette.

— Que... Qu'allez-vous faire? demanda Susan, prise de panique.

— Jeter un coup d'œil.

— *Pour l'amour du ciel, ne faites pas ça!*

La main de Mrs Baker se posa sur le bouton de porte.

— Je veux vous prouver que vous n'avez rien à craindre.

— Non! Je vous en supplie!

— Vous n'avez rien à craindre, répéta l'infirmière d'une voix apaisante.

— Si c'était une hallucination... je n'aurais pas touché les boutons de sa chemise!

— Susan...

— Et son érection répugnante... si manifeste... si *réelle*?

Mrs Baker semblait déroutée.

Elle ne peut pas comprendre, pensa Susan. Elle me croit folle. Mais puis-je me comprendre moi-même?

Brusquement, elle se sentit vaincue.

— Allons voir, Susan.

— Je vous en supplie, épargnez-moi cette épreuve.

— C'est pour votre bien.

— Par pitié... gémit Susan.

Mais Mrs Baker ouvrait la porte.

Susan ferma les yeux.

— Regardez.

Elle garda les paupières closes.

— Il n'y a rien, Susan.

— Il est toujours là.

— Non.

— Je sens sa présence.

— Il n'y a que vous et moi, ici.

— Mais...

— Pourquoi vous mentirais-je?

Des perles de sueur glacée tombaient dans le cou de Susan et ruisselaient le long de son dos.

— Regardez!

Si Susan avait peur d'ouvrir les yeux, elle n'osait les garder fermés plus longtemps. Elle obéit.

Elle se tenait sur le seuil du cabinet de toilette. Murs, carreaux, lavabo blancs. Pas trace d'Ernest Harch ou d'une tête en décomposition sur le couvercle de la cuvette des toilettes.

— Vous voyez, ajouta gaiement Mrs Baker. Il n'y a rien et il n'y a jamais rien eu.

— Oh!

— Vous sentez-vous mieux?

Elle était engourdie et glacée.

— Susan?

— Oui, bien mieux.

L'abattement l'écrasait comme un manteau de plomb.

— Seigneur! s'exclama Mrs Baker. Votre pyjama est trempé de sueur.

— Glacée...

— Ce n'est pas surprenant.

— Je veux parler de la tête. Glacée et suintante.

— Il n'y a pas la moindre tête.

— Sur le couvercle, là.

— Susan, il n'y a jamais eu de tête. C'était une hallucination. J'espère que vous le comprenez.

— Oui, bien sûr.

— Susan?

— Hmmm?

— Est-ce que ça va?

— Oui, ça va aller.

Mrs Baker la ramena vers son lit et alluma la lampe de chevet. Les ombres allèrent se tapir dans les recoins de la chambre.

— Tout d'abord, il vous faut des vêtements secs.

L'autre pyjama de Susan était au lavage. Mrs Baker l'aida à retirer celui de soie bleue qui était trempé de transpiration et lui passa une chemise de nuit de l'hôpital.

— Vous ne vous sentez pas mieux? demanda Mrs Baker. Susan?

— Hum...

— Vous m'inquiétez, Susan.

— J'ai simplement besoin de repos. Je voudrais partir pendant quelque temps.

— Partir?
— Seulement quelque temps. Partir.

13

— Susan?

Elle ouvrit les yeux. Jeff McGee l'étudiait, les sourcils froncés.

Elle lui sourit.

— Salut.

Il lui retourna son sourire.

— Comment vous sentez-vous?

Sa voix lui paraissait lointaine et très grave, comme si elle écoutait un quarante-cinq tours posé sur une platine réglée sur trente-trois.

— Pas trop mal, répondit-elle.

— J'ai appris qu'il y avait eu un nouvel épisode.

— Ouais.

— Vous désirez m'en parler?

— C'est sans intérêt.

— Je suis certain que votre récit me passionnerait.

— Ce dont j'ai besoin, c'est de dormir.

— Vous avez dormi.

— Un peu... par moments.

Jeff se tourna vers une personne qui se tenait de l'autre côté du lit.

— Qu'a-t-elle fait, depuis?

— Elle a sommeillé, répondit Mrs Baker.

— Je suis fatiguée, murmura Susan.

Jeff McGee la regarda. Il fronçait toujours les sourcils.

Elle lui sourit et ferma les yeux.

— Susan.

— Hmmmm?

— Vous ne devez pas vous rendormir tout de suite.

— Un petit moment, je vous en prie.

Elle avait l'impression de dériver dans une mer

chaude. Il était si agréable de se sentir à nouveau calme et détendue.

— Non, vous devez me parler.

Il toucha son épaule et la secoua doucement.

Elle ouvrit les yeux et sourit.

— Vous ne devez pas fuir. Vous le savez.

— Le sommeil n'est-il pas réparateur?

— Pas maintenant.

Elle ferma les yeux.

— Susan?

— Tout à l'heure, murmura-t-elle. Tout à l'heure...

★

— Susan?

— Hmmm?

— Je vais vous faire une piqûre.

— D'accord.

— Pour vous soulager et vous réveiller un peu.

— D'accord.

Un contact froid. L'odeur de l'alcool.

L'aiguille pénétra dans son bras et la fit tressaillir.

— Voilà, c'est terminé.

— D'accord.

— Ça va aller mieux.

— D'accord.

★

Susan s'assit dans son lit.

Ses yeux irrités la brûlaient. Elle les frotta du dos de la main. Jeff McGee sonna une infirmière et demanda un collyre qu'il mit lui-même dans les yeux de Susan. Les gouttes étaient fraîches et apaisantes.

Elle avait un goût amer de métal dans la bouche. Jeff lui donna un verre d'eau. Elle le but mais l'amertume subsista.

Susan se sentait un peu irritée contre Jeff qui avait interrompu son sommeil.

— Que m'avez-vous administré? demanda-t-elle.

— Du méthylphénidate.

158

— Qu'est-ce que c'est ?

— Un stimulant, indiqué dans les cas de dépression profonde.

— Je n'étais pas déprimée, j'avais seulement sommeil.

— Susan, vous étiez en train de vous replier totalement sur vous-même.

— J'avais sommeil, je vous dis, rétorqua-t-elle.

— En phase narcoleptique de dépression, insista-t-il avant de s'asseoir sur le lit. Je veux que vous me disiez ce qui s'est passé dans ce réduit.

— Est-ce vraiment indispensable ?

— Oui.

— Tout ?

— Tout.

Elle était bien éveillée. Si elle avait souffert d'une forme de dépression l'incitant à chercher le salut dans le sommeil, c'était du passé. Elle se sentait en pleine forme, et même un peu énervée.

Elle pensa à Ernest Harch et à la tête tranchée.

Elle frissonna et trouva du réconfort dans le sourire de Jeff.

— Tout le monde assis autour du feu de camp, les enfants. Je vais vous raconter une histoire d'épouvante.

Son dîner fut servi une heure plus tard que d'habitude. Elle n'avait pas d'appétit mais Jeff insista pour qu'elle mange. Il resta auprès d'elle afin de s'assurer qu'elle finissait la plupart des plats.

Ils parlèrent pendant plus d'une heure. La présence de cet homme avait sur elle un effet apaisant.

Mais il ne pouvait rester auprès de Susan toute la nuit. Il devait rentrer chez lui pour étudier les électro-encéphalogrammes, les radiographies et les analyses.

Il se leva.

— Ça va aller ? dit-il.

Voulant paraître courageuse à ses yeux, elle répondit :

— Ne vous en faites pas pour moi. N'oubliez pas que j'ai du cran.

Il sourit.

— L'effet du méthylphénidate ne va pas tarder à s'estomper. On vous donnera un somnifère plus puissant que d'habitude.

— Je croyais que je ne devais pas dormir ?

— Lorsque je vous l'ai dit, les circonstances étaient différentes. Et je veux que vous ayez un sommeil paisible.

Je ne veux pas avoir d'hallucinations quand je dors profondément, pensa Susan. Ainsi, je ne partirai pas en expédition dans la jungle de la folie où les lions et les tigres ne feraient de moi qu'une bouchée.

— Les infirmières passeront vous voir tous les quarts d'heure. Pour vous rappeler que vous n'êtes pas seule.

— Entendu.

— Et ne restez pas assise à vous morfondre. Regardez la télévision, occupez-vous l'esprit.

— Je le ferai, promit-elle.

Il lui donna un baiser plein de tendresse et de douceur.

Puis il sortit et elle se retrouva seule.

Susan demeura tendue tout le reste de la soirée qui se déroula cependant sans le moindre incident. Elle regarda la télévision, mangea des chocolats que Jeff lui avait apportés. Deux infirmières, Tina Scolari et Beth Howe, passèrent la voir, et Susan fut surprise de découvrir qu'elle était capable de plaisanter avec elles.

Tout de suite après avoir pris le somnifère prescrit par Jeff, Susan eut besoin de se rendre au cabinet de toilette et regarda la porte close avec appréhension. Elle envisagea de sonner une infirmière pour demander un bassin, puis elle eut honte de sa peur. Qu'était devenue la détermination dont elle avait toujours été si fière ? Elle allait presser le bouton mais se ravisa. Enfin, aiguillonnée par les exigences de la nature plus que par son amour-propre, elle repoussa les couvertures, se leva et gagna le cabinet de toilette.

Elle ouvrit la porte.

Elle donna de la lumière.

Aucun mort-vivant. Pas la moindre tête tranchée.

Dieu soit loué, pensa-t-elle en soufflant. Elle entra et referma la porte. Les battements de son cœur redevinrent normaux.

Elle s'était lavé les mains et tirait une serviette en papier du distributeur mural quand son regard fut attiré par un objet brillant sur le sol.

Susan se pencha pour ramasser la chose.

Elle la fixa avec incrédulité.

Quelques heures plus tôt, elle avait désiré que les fantômes existent. Son vœu était exaucé.

Elle en avait la preuve, et c'était l'objet qu'elle venait de ramasser sur le sol. Une fine chaîne d'or et un pendentif. Le mezuzah de Jerry Stein. Celui qu'elle avait vu autour du cou déchiqueté de sa tête tranchée.

TROISIÈME PARTIE

Dans les rues de Willawauk...

14

Sa première pensée fut de courir jusqu'au poste des infirmières pour leur montrer le mezuzah et prouver qu'elle n'avait pas sombré dans la folie, que les apparitions des morts-vivants n'étaient pas des hallucinations.

Après avoir réfléchi, elle se ravisa. Elle craignait de découvrir sa paume vide lorsqu'elle l'ouvrirait pour montrer l'objet aux infirmières. Elle ne pouvait faire confiance à ses sens. Jeff n'avait cessé de le lui répéter. Il était impossible de savoir si son cerveau interprétait correctement les signaux qui lui parvenaient. Peut-être venait-elle d'avoir une autre brève crise. Lorsqu'elle s'achèverait, elle découvrirait qu'elle tenait un bout de papier ou une vis tombée du distributeur de serviettes... ou n'importe quel autre objet anodin. Il était préférable d'attendre, de ranger le mezuzah, de se laisser le temps de se remettre de cette crise (s'il s'agissait d'une autre crise) avant de regarder à nouveau le pendentif pour découvrir si sa nature n'avait pas changé.

En outre, elle trouvait brusquement l'hypothèse des revenants sortis de leur tombe pour se venger beaucoup moins attrayante. Si elle avait en effet souhaité que les spectres existent, pour ne plus douter de sa santé mentale, elle n'avait toutefois pas pensé que cela la pousserait dans les oubliettes de la folie. Elle n'était pas prête à admettre que les morts puissent sortir de leur tombe. Elle était une scientifique, une femme raisonnable, éprise de logique. La superstition l'avait toujours soit amusée soit consternée. Jusqu'à présent, elle était parvenue à préserver sa raison en se disant que ses bourreaux étaient des créatures imaginaires. Mais dans le cas contraire...

Que se passerait-il ensuite ?

Elle se regarda dans le miroir et put y voir son expression terrorisée.

Que se passerait-il ensuite ?

Elle ne tenait pas à y penser. C'était d'ailleurs inutile tant qu'elle ne serait pas fixée sur l'existence réelle du mezuzah.

Le somnifère commençait à faire effet. Ses paupières devenaient lourdes et ses pensées confuses.

Elle enveloppa le pendentif dans un morceau de serviette en papier et sortit du cabinet de toilette qu'elle éteignit au passage.

Elle se recoucha, posa sa découverte dans le tiroir de la table de chevet et referma le tiroir : c'était son secret.

Le soporifique était comparable à une lame déferlante qui se serait abattue sur elle.

Elle tendit la main pour éteindre sa lampe de chevet mais s'en abstint en notant que personne n'avait allumé la veilleuse. Elle ne tenait pas à se retrouver dans l'obscurité.

Elle fixa le plafond tout en essayant de faire le vide dans son esprit. Une minute plus tard, elle dormait.

Jeudi matin. Une nouvelle journée nuageuse.

Susan demeura immobile quelques minutes, avant de se remémorer le trésor dissimulé dans la table de chevet.

Elle releva le lit et s'assit, démêla ses cheveux avec ses doigts et ouvrit le tiroir. Le petit paquet s'y trouvait toujours. Au moins n'était-il pas issu de son imagination. Elle le prit et le garda dans sa paume pendant un instant, avant de l'ouvrir avec précaution.

Le pendentif et la chaînette se trouvaient au centre du morceau de papier.

Susan prit le mezuzah et le toucha. Il était bien matériel, cela ne faisait aucun doute.

Et il en découlait que les morts-vivants l'étaient aussi.

Des *fantômes* ?

Elle retourna le pendentif entre ses doigts, tout en se demandant si elle pouvait encore croire à l'existence des spectres. Son rationalisme, son scepticisme inné et son goût pour les réponses scientifiques l'empêchaient de nier soudain la logique pour accepter sans broncher des explications surnaturelles.

Et même si elle avait été prédisposée à admettre l'existence des revenants, une chose lui aurait fait mettre en doute la théorie des spectres. Et cette chose était le mezuzah. Si ses persécuteurs étaient des esprits malveillants capables de s'évanouir dans les airs, le mezuzah aurait dû disparaître en même temps que Harch et que la tête tranchée de Jerry Stein. S'il était un élément de cette apparition surnaturelle, il ne pouvait appartenir au monde réel. Et cependant elle le tenait dans le creux de sa main.

La veille, quand son esprit était embrumé par l'effet du somnifère, elle avait pensé que le mezuzah prouvait l'existence des fantômes. Aujourd'hui, elle estimait qu'il démontrait simplement que les morts-vivants n'étaient pas de simples hallucinations.

Des fantômes ? C'était peu probable.

Et maintenant qu'elle tenait le mezuzah dans la main, mettre les événements sur le compte d'un dysfonctionnement cérébral paraissait trop simpliste.

Quelles possibilités restait-il ?

Elle fixa le pendentif en fronçant les sourcils.

Elle en revenait à la théorie des sosies. Mais cette hypothèse n'était pas non plus satisfaisante, car il était impossible d'expliquer pourquoi quatre copies conformes des assassins de Jerry Stein se seraient rendues à l'hôpital du comté de Willawauk dans le but de la tourmenter et peut-être de la tuer. Si une théorie était absurde, il fallait l'éliminer.

Si elle envisageait l'éventualité d'un coup monté, elle ne pouvait expliquer comment Harch s'était éclipsé d'une pièce sans fenêtre. Comment il avait pu se remettre si rapidement d'une intervention chirurgicale effectuée seulement le lundi précédent. Ou encore comment le cadavre de Jerry Stein était apparu dans le lit de Jessica Seiffert et pourquoi son corps n'était pas entièrement décomposé, réduit à quelques ossements.

Fantômes?

Dysfonctionnement cérébral?

Une étrange conspiration?

Aucune de ces théories ne permettait de répondre à toutes les questions. Chaque hypothèse menait à un cul-de-sac.

Susan fut prise de vertiges.

Elle serra le poing autour du mezuzah comme pour en extraire la vérité.

Une infirmière entra dans la chambre. Il s'agissait de Millie, la blonde à tête de fouine qui avait tenté de lui faire une piqûre le mardi matin, lorsque Susan avait eu une crise de nerfs en voyant apparaître les doubles de Jellicoe et de Parker.

— Le petit déjeuner arrive, dit-elle en passant près du lit pour gagner directement le cabinet de toilette.

Elle y pénétra avant que Susan n'ait pu lui répondre.

Par la porte entrouverte, Susan vit l'infirmière s'accroupir et regarder derrière la cuvette des toilettes, d'un côté puis de l'autre. Elle scrutait les coins d'ombre que la clarté du tube au néon ne pouvait atteindre.

Son inspection achevée, elle regarda encore autour d'elle. Derrière la porte, sous le lavabo.

Les yeux de Susan s'abaissaient inexorablement vers sa propre main. Le mezuzah dissimulé dans sa main lui semblait de plus en plus froid.

La chaînette en or pendait entre ses doigts serrés. Obéissant à une impulsion, Susan la fit disparaître à l'intérieur de son poing qu'elle laissa reposer sur le drap et couvrit de son autre main.

Millie sortit du cabinet de toilette, hésita une seconde, puis demanda :

— Vous n'auriez pas vu un bijou ?

— Un bijou ?

— Oui.

— Où ? demanda Susan, en feignant la surprise. Vous voulez parler du cabinet de toilette ?

— Oui.

— Un collier de perles ou une broche en diamants ? s'enquit-elle d'un ton léger, comme si elle pensait que l'infirmière voulait plaisanter.

— Non. Un objet qui m'appartient. Je l'ai perdu et je n'arrive pas à le retrouver.

— Quel genre de bijou ?

Millie n'hésita qu'un instant, avant de dire :

— Un mezuzah. Un pendentif avec une chaînette en or.

Susan lisait de la tension sur le visage de fouine de l'infirmière.

Il ne t'appartient pas, pensa Susan. Tu es une menteuse.

Le mezuzah avait été oublié par erreur. Il était tombé de la tête tranchée à l'insu de celui qui l'avait mis là. Et à présent ils tentaient de rattraper leur bévue.

— Désolée, dit-elle. Je n'ai rien trouvé.

L'infirmière la fixa.

Susan pouvait deviner leurs intentions. Ils voulaient lui faire croire qu'elle avait vu le mezuzah de Millie et établi un rapport au niveau du subconscient avec celui de Jerry Stein, ce qui avait déclenché une nouvelle hallucination.

Mais la conduite de Millie la rendait méfiante. Et elle était désormais certaine que ses problèmes n'étaient pas d'ordre psychologique. Ils lui faisaient subir une sorte de... test, ou de programme. Ils lui jouaient une comédie dont elle ignorait encore les raisons. Elle en avait la certitude.

Mais qui étaient-*ils* ?

— J'espère que vous le retrouverez, dit-elle à Millie.

— La chaînette a dû se briser, il a pu tomber n'importe où.

L'infirmière ne savait pas mentir. Ni son regard ni sa voix n'étaient convaincants.

Un aide-soignant poussa un chariot dans la chambre. Millie y prit un plateau et le posa sur la table de lit, puis elle sortit avec l'homme.

A nouveau seule, Susan ouvrit sa main. Le mezuzah était trempé de sueur.

★

Sans toucher à son petit déjeuner, Susan gagna le cabinet de toilette, donna de la lumière et referma la porte.

Elle entreprit d'examiner les murs, en commençant derrière la cuvette des toilettes. Il s'agissait d'une paroi granuleuse et sans la moindre fissure visible. Elle étudia un de ses angles avec soin mais n'y trouva rien de particulier. La deuxième paroi ne présentait pas non plus la moindre fissure, et l'angle suivant était aussi lisse que le premier. Le lavabo occupait le centre du troisième mur. Au-dessus, le miroir dissimulait la paroi jusqu'au plafond. De chaque côté du lavabo et du miroir, la cloison était régulière et parfaitement normale.

Elle trouva ce qu'elle cherchait dans l'angle situé derrière la porte. La jointure des cloisons était soulignée par une mince fissure rectiligne qui allait de la plinthe au plafond.

C'est de la folie.

Elle couvrit son visage de ses mains, cilla, regarda à nouveau. Elle revit la fissure : une ligne étroite, trop droite pour être due à l'affaissement du bâtiment.

Elle s'approcha du lavabo pour étudier le miroir. Sans doute servait-il à dissimuler la charnière et n'était-il fixé au mur que du côté gauche.

Elle s'agenouilla et regarda sous le lavabo. Toutes les canalisations sortaient du sol, aucun tuyau ne traversait le mur. Elle étudia la cloison et découvrit une seconde fissure rectiligne qui devait descendre du plafond, dissimulée sur la majeure partie de sa longueur par le miroir et le lavabo. Elle nota un raccord de plinthes dans l'alignement de cette fissure et put glisser un ongle dans cet interstice; il n'avait jamais été comblé avec du mastic.

Il laissait passer un léger courant d'air.

Susan se releva et fixa pensivement l'élément de cloison d'un mètre cinquante de large qui séparait l'angle de la porte et le milieu du lavabo. Toute cette section du mur pouvait pivoter vers l'extérieur.

C'était le passage qu'Ernest Harch avait dû emprunter pour quitter le cabinet de toilette, la tête tranchée de Jerry Stein sous le bras, sans se douter que le mezuzah était tombé à terre.

Que trouvait-on de l'autre côté de cette cloison?
La folie.

★

Susan regagna la chambre et étudia le mur derrière le second lit. Il était marqué par une autre fissure rectiligne qui allait du sol au plafond. A deux mètres de distance, cette ligne restait absolument invisible. Elle en trouva une autre dans l'angle de la pièce.

Elle posa une main à plat contre le mur et appuya de toutes ses forces, espérant que la porte secrète n'était pas verrouillée. Mais la cloison resta en place.

Susan s'agenouilla et toucha la plinthe.

Elle sentit un autre courant d'air, à peine perceptible, mais glacial.

Des portes secrètes? Cela paraissait trop étrange pour être vrai.

Des conspirateurs en manteau couleur muraille se déplaçaient-ils à travers les murs? Une composante classique de la paranoïa.

Cependant, ces fissures existaient bel et bien.
Fruits de l'imagination.
Et les courants d'air?
Problèmes sensoriels.
Dysfonctionnement cérébral. Petite hémorragie. Caillot de sang minuscule. Lésion. Ou encore...

— A d'autres! murmura-t-elle.

★

Ses flocons d'avoine étaient froids. Elle les mangea malgré tout, plus que jamais consciente de la nécessité de reprendre des forces.

Tout en avalant son petit déjeuner, elle étudia la situation. L'hypothèse d'une épouvantable machination semblait confirmée, même si cela pouvait paraître invraisemblable.

Qui donc disposait des moyens et de la détermination nécessaires pour organiser une telle mise en scène, comprenant quatre sosies parfaits qui n'avaient pu être trouvés qu'au prix d'impensables efforts ? Et dans quel but ? Pourquoi un tel gaspillage d'argent et de temps ? Un parent d'un des quatre membres de la confrérie voulait-il venger sa mort, la punir pour son témoignage alors qu'elle n'avait fait que dire la stricte vérité ? Une vengeance... treize ans plus tard ? Non, c'était absurde ! Un scénario tout droit sorti d'une B.D. ! Les gens n'employaient pas des moyens aussi compliqués... et aussi coûteux. Un couteau, un fusil ou du poison auraient amplement suffi. En outre, il était impossible d'entretenir pendant plus de dix ans une haine assez féroce pour inspirer un meurtre.

Mais dans quels hôpitaux trouvait-on des portes et des salles secrètes ?

Peut-être existait-il de tels passages dans un asile pour déments incurables... et seulement dans l'esprit de ces derniers. Cependant, ces portes n'étaient pas issues de son imagination. Elle n'était pas une schizophrène enfermée dans une cellule capitonnée, et qui croyait se trouver dans un hôpital ordinaire. Tout cela existait. Elle n'avait pas inventé les passages secrets.

Elle réfléchit aux journées qu'elle venait de vivre et se remémora des détails qui ne lui avaient pas paru importants sur l'instant mais qui auraient dû éveiller sa méfiance. Certains menus incidents indiquaient que ce lieu et ces gens n'étaient pas ce qu'ils prétendaient être.

Viteski. C'était cet homme qui lui avait fourni le premier indice.

La nuit du samedi, quand Susan était sortie du coma, le Dr Viteski avait paru visiblement mal à l'aise. Lorsqu'il lui avait parlé de son accident et de l'hôpital de Willawauk, sa voix était si tendue qu'elle ne paraissait pas naturelle. Il semblait réciter un texte appris.

Mrs Baker avait elle aussi commis une erreur. Le lundi soir, elle lui avait confié qu'elle devait aller retrouver un homme aux épaules « plus larges que la porte ». Deux jours plus tard, lorsque Susan lui en avait parlé, Mrs Baker avait paru déconcertée. Son trouble avait duré un long moment. Un moment trop long. A présent, il était évident pour Susan que cette histoire de bûcheron, de bowling et de hamburgers n'avait été qu'une improvisation : le genre de petit détail qu'invente un bon acteur pour donner de la vraisemblance à son rôle. Il n'y avait jamais eu de bûcheron fringant. Ni de partie de bowling. Cette pauvre Thelma Baker grisonnante et replète n'avait pas connu une folle nuit de passion. Elle avait tout simplement inventé cette fable sentimentale pour donner plus de poids à son personnage, avant de l'oublier jusqu'au moment où Susan lui avait rafraîchi la mémoire.

Elle avait fini les flocons d'avoine et mangea les tartines sur lesquelles le beurre s'était figé. Le jus d'orange fit glisser le tout.

L'ecchymose. C'était un autre détail qui aurait dû lui mettre la puce à l'oreille. Mardi après-midi, lorsqu'elle s'était retrouvée bloquée dans l'ascenseur avec les quatre morts, Harch lui avait pincé le bras. Lorsqu'elle avait découvert la marque bleuâtre sur son bras, elle avait cru s'être blessée dans la salle de rééducation; son subconscient aurait ajouté ce détail à son hallucination; mais ce n'était pas le cas. Cela prouvait que Harch et les autres étaient aussi réels que le mezuzah. Cette marque et le pendentif constituaient des fragments de prétendues hallucinations qui ne s'étaient pas évanouis avec le reste.

Brusquement, Susan comprit que Harch n'avait pas simplement saisi l'opportunité de la faire souffrir. Il l'avait pincée une ou deux secondes avant qu'elle n'ait des étourdissements et ne s'évanouisse. Ce pincement avait servi à couvrir la douleur d'une piqûre. Un autre de ces hommes s'était servi d'une seringue hypodermique avant la disparition de la souffrance. Après cette scène de terreur, il fallait qu'elle perde connaissance pour permettre aux quatre personnages de faire leur sortie. *Parce qu'ils n'étaient ni des fantômes qui pouvaient s'évanouir dans un rayon de lumière ou un nuage de fumée surnaturels, ni des créations de son imagination capables de s'estomper dès son réveil.* Oui, ils avaient utilisé une drogue pour lui faire perdre conscience, et ils avaient masqué la douleur de la piqûre par un pincement pour la simple raison que des spectres dignes de ce nom n'auraient pas eu besoin de recourir à de tels stratagèmes pour regagner l'au-delà.

Susan allait s'attaquer à un petit pain lorsqu'elle pensa à remonter la manche de son pyjama. Elle étudia attentivement l'ecchymose, mais trop de temps s'était écoulé pour qu'elle pût discerner la marque laissée par une aiguille.

Ses tortionnaires avaient probablement commis d'autres erreurs qu'elle n'avait pas relevées. En fait, elle n'en eût noté aucune si Harch n'avait pas commis celle d'oublier le mezuzah dans le cabinet de toilette.

Tout bien considéré, ses adversaires s'en étaient jusqu'alors très bien tirés.

Mais qui étaient ces gens ? Qui disposait de l'argent, de l'énergie et du temps nécessaires pour monter de toutes pièces une telle mise en scène ? Et dans quel but ?

Que me veulent-ils ?

Ces ennemis n'étaient pas animés par un simple désir de vengeance, cela ne faisait aucun doute. Leurs buts étaient plus étranges... et plus effrayants.

En dépit de la peur qui tiraillait son estomac, elle mangea une bouchée du petit pain. Elle devait s'alimenter. Emmagasiner de l'énergie pour l'affrontement qui s'annonçait.

Elle pensa au rôle que devait tenir Jeff McGee et la

pâtisserie lui parut plâtreuse et amère. Elle dut faire un effort pour l'avaler.

Il était impossible que Jeff ne fût pas au courant de ce qui se passait.

Il faisait partie du complot.

Il était l'un d'eux...

Susan devait reprendre des forces, mais elle ne pouvait plus rien avaler. La simple pensée de la nourriture lui donnait la nausée. Elle repoussa le plateau.

Elle avait accordé sa confiance à cet homme.

Il l'avait trahie.

Elle l'avait aimé.

Il s'en était servi pour l'abuser.

Chose encore plus grave, elle avait remis son destin entre ses mains. Et maintenant qu'elle avait renoncé à son indépendance, qu'elle avait permis à McGee de prendre les rênes de son existence, il l'avait trahie. Intentionnellement.

Comme tous les autres, il participait à une machination dont le but semblait consister à la rendre folle.

Elle avait été abusée.

Elle se trouvait stupide.

Elle le haïssait.

★

La Milestone Corporation.

Il devait certainement exister un rapport entre son travail et les événements de ces derniers jours.

Pendant plusieurs minutes, elle se concentra pour tenter de repousser les voiles de l'amnésie qui lui dissimulaient ses souvenirs. Elle dut se rendre à l'évidence : ce n'était pas un simple rideau mais une muraille impénétrable.

Plus elle essayait de se souvenir, plus sa peur grandissait. Son instinct lui disait qu'elle n'osait se remémorer la nature de son travail parce que cela scellerait sa mort. Elle en avait la certitude, sans savoir pourquoi. Pour l'amour de Dieu, quel était donc cet horrible secret ?

Puis elle s'interrogea sur son accident d'automobile. Avait-il seulement eu lieu, ou n'était-ce qu'un mensonge de plus ?

Elle ferma les yeux et essaya de revivre les instants qui avaient précédé son trou de mémoire. La courbe de la route... le virage... abordé lentement... puis les ténèbres. Elle luttait contre l'amnésie mais ne put se souvenir. Elle était à présent presque certaine de ne pas avoir quitté la route.

Il lui était arrivé quelque chose de terrible dans ces montagnes, mais sûrement pas un accident. Ils l'avaient attendue, enlevée et conduite dans cet hôpital. C'était à eux qu'elle devait sa blessure à la tête. Elle n'en avait aucune preuve, aucun souvenir, mais elle n'avait pas non plus le moindre doute.

★

Vingt minutes après qu'elle eut terminé son petit déjeuner, McGee passa la voir.

Il déposa un baiser sur sa joue et elle le lui rendit. Elle sourit et feignit d'être heureuse de le revoir. Il ne fallait pas qu'il pût soupçonner qu'elle avait le pressentiment de la vérité.

— Comment vous sentez-vous, ce matin ? demanda-t-il.

Il s'appuya contre le lit, souriant, certain de la garder sous son charme.

— En pleine forme, répondit-elle alors qu'elle éprouvait le désir impérieux de le gifler.

— Bien dormi ?

— Comme un ours en hibernation. Grâce au somnifère.

— A propos de médicaments, j'ai prévu pour vous un cachet de méthylphénidate à neuf heures, et un autre à dix-sept heures.

— Je n'en ai pas besoin.

— Oh ? Auriez-vous quitté subrepticement notre établissement et obtenu votre diplôme de médecin au cours de la nuit ?

— C'était inutile. Je l'avais fait expédier par la poste.

— Combien vous a-t-il coûté ?

— Cinquante dollars.

— Moins cher que le mien.

— Je l'espère, fit-elle en se forçant à sourire. Ecoutez, je n'ai pas besoin de méthylphénidate pour la simple raison que je ne suis plus déprimée.

— Vous risquez d'avoir une autre crise et je crois fermement aux vertus de la médecine préventive.

Et moi, je crois fermement que vous êtes un imposteur, docteur McGee, pensa-t-elle.

— Soit, mais je n'ai pas besoin de vos cachets.

— Vous oubliez que vous me devez obéissance.

— D'accord, d'accord. Un cachet à neuf heures, l'autre à dix-sept.

— Brave fille.

Caressez-moi la tête et grattez-moi derrière les oreilles, pendant que vous y êtes ! pensa-t-elle en dissimulant son trouble.

— Avez-vous réétudié mes examens ?

— Oui, pendant près de cinq heures.

Menteur, se dit-elle. Vous n'avez pas perdu une minute parce que vous savez que je n'ai rien d'anormal.

— Tant d'heures supplémentaires ? Je vous remercie. Avez-vous trouvé quelque chose ?

— Hélas, non. Vous semblez être un être humain de sexe féminin en parfaite santé.

— Heureuse d'apprendre que je suis une humaine.

— Un spécimen parfait.

— Et de sexe féminin.

— Un spécimen parfait sur ce plan-là aussi.

— Et l'analyse du liquide céphalo-rachidien ?

Susan était décidée à jouer le jeu. Elle avait adouci sa voix et elle laissait filtrer un peu de sa tension nerveuse afin de lui donner le timbre de l'inquiétude. Elle fronçait légèrement les sourcils : McGee pouvait y lire de la crainte et du doute.

— Je n'ai pas trouvé la moindre erreur dans les analyses. Rien n'a été omis, aucune donnée n'a été mal interprétée.

Susan poussa un soupir et ses épaules s'affaissèrent. McGee prit sa main pour la réconforter.

Elle dut faire un effort pour s'abstenir de le repousser et de le cribler de coups.

— Et maintenant ? Allez-vous me faire l'angiographie dont vous avez parlé hier ?

— Pas encore. Je dois y réfléchir. Quoi qu'il en soit, il faudra attendre que vous ayez repris des forces. Au moins deux jours. Désolé, je sais que cette attente vous est pénible.

Ils parlèrent encore cinq minutes et McGee ne parut pas remarquer qu'elle le voyait sous un jour différent désormais, moins flatteur qu'auparavant. Surprise par ses dons d'actrice, elle estima qu'elle était aussi bonne comédienne que Mrs Baker.

Je battrai ces sales types à leur propre jeu, se dit-elle avec satisfaction.

Mais le prix de la meilleure interprétation revenait incontestablement à McGee. Il avait du style et du panache. Si elle savait à présent qu'il jouait la comédie, elle se laissait presque persuader par la sincérité qu'il étalait tant il était gentil et prévenant. Il y avait une si grande franchise dans ses yeux bleus, et son souci pour sa santé paraissait si authentique... Il était charmant.

Elle était plus que tout surprise par l'amour qui semblait irradier de lui. Elle avait déjà été aimée par deux hommes (qui ne lui avaient malheureusement inspiré que de la sympathie) mais elle n'avait jamais perçu avec une telle intensité l'amour qu'on lui portait.

Cependant, ce sentiment était contrefait.

C'était indubitable.

McGee savait ce qu'on tramait contre elle.

Mais lorsqu'il la quitta pour poursuivre ses visites, Susan connut à nouveau le doute. L'hypothèse de la folie revint la hanter. Des portes et des pièces secrètes, un hôpital plein de conjurés ? Dans quel but ? Il lui semblait presque plus facile de croire qu'elle était folle que d'admettre que Jeff McGee était un menteur doublé d'un imposteur.

Elle enfouit sa tête dans son oreiller et pleura silencieusement pendant quelques minutes, sans savoir si la cause de ses larmes était la perfidie de cet homme ou son impossibilité à lui faire confiance. Elle avait cru trouver l'amour avec un homme exceptionnel, le genre d'homme dont elle avait toujours rêvé. Mais à présent elle ne savait pas plus ce qu'elle devait croire que ce qu'elle aurait dû ressentir.

Elle prit le mezuzah d'or sous son oreiller.

Elle le regarda fixement.

Peu à peu, la solidité de l'objet, sa réalité indubitable mirent un terme à ses interrogations.

Elle ne perdait pas la raison. Elle n'était pas folle. Ses doutes cédèrent le pas à la colère.

A neuf heures, Millie lui apporta le premier cachet de méthylphénidate.

Susan le prit et demanda :

— Où est Mrs Baker, ce matin ?

— C'est son jour de congé, répondit l'infirmière en lui versant un verre d'eau. Elle compte laver sa voiture et aller faire un pique-nique avec des amis. Elle aura une mauvaise surprise, on annonce de la pluie.

Oh, très subtil, pensa Susan avec ironie et admiration. *C'est son jour de congé.* Seigneur, quel réalisme ! Nous ne sommes pas dans un hôpital ordinaire, Mrs Baker n'est pas une infirmière ordinaire, tout le monde joue une comédie rocambolesque, mais elle prend un jour de congé pour rendre l'histoire plus réaliste. Laver sa voiture, partir en pique-nique. Oh, très réussi ! Soigné jusque dans les moindres détails. Mes compliments au scénariste.

Millie lui tendit le verre.

Susan feignit de mettre le cachet sur sa langue, mais le garda au creux de sa paume et avala seulement deux gorgées d'eau fraîche.

Elle avait décidé de ne plus prendre un seul médicament. Ces gens devaient l'empoisonner lentement.

★

Sa formation de scientifique lui fit penser qu'on la soumettait peut-être à une expérience. Elle avait même peut-être accepté librement de servir de cobaye pour une étude sur les manipulations sensorielles ou le contrôle de l'esprit.

Les précédents ne manquaient pas pour étayer cette théorie. Dans les années soixante et soixante-dix, des scientifiques s'étaient volontairement soumis à des expériences de privation sensorielle en s'installant dans des cuves de liquide de forte densité plongées dans l'obscurité. Ils y étaient demeurés si longtemps qu'ils avaient perdu tout contact avec la réalité, au point d'avoir des hallucinations.

Si Susan était certaine de ne pas avoir d'hallucinations, elle se demandait par contre si cet étage de l'hôpital n'avait pas été aménagé pour une expérience sur le contrôle de l'esprit ou sur les techniques de lavage de cerveau. La dernière possibilité semblait la plus probable. Quel genre d'expériences effectuait-on à la Milestone ?

Elle réfléchit longuement à cette possibilité, pour l'écarter en fin de compte. Elle n'aurait jamais renoncé librement à son indépendance, même pour servir la cause de la science. Elle aurait démissionné de n'importe quel emploi qui aurait voulu la contraindre et mettre sa santé mentale en péril.

Et qui aurait pu mener de telles recherches ? Ces expériences rappelaient celles que les nazis avaient effectuées sur leurs prisonniers. Mais aucun scientifique digne de ce nom n'aurait fait de choses semblables.

En outre, elle était une physicienne, un domaine sans rapport avec l'étude du comportement humain. Le lavage de cerveau relevait d'une discipline si éloignée de la sienne qu'elle n'imaginait aucune circonstance dans laquelle elle aurait pu être associée à des expériences de ce type.

Non, elle n'avait pas librement accepté cette épreuve : elle était ici contre son gré.

★

McGee avait prévu pour elle une séance de rééducation à dix heures.

Murf et Phil vinrent la chercher dix minutes plus tôt. Comme toujours, ils ne cessèrent de bavarder joyeusement en la conduisant au rez-de-chaussée. Susan aurait voulu leur dire qu'à son humble avis ils méritaient un oscar d'interprétation mais préféra garder le silence. Elle se contenta de sourire, de rire et de leur donner la réplique lorsqu'elle le jugeait nécessaire.

Durant la première partie de la séance de rééducation, Susan effectua tous les exercices mais, ensuite, elle se plaignit de crampes dans les jambes. Elle gémit de façon très convaincante bien que ces douleurs fussent imaginaires. Elle ne voulait pas se fatiguer outre mesure. Elle tenait à ménager ses forces car elle savait qu'elle en aurait bientôt besoin.

Elle avait décidé de s'enfuir dès la nuit tombée.

Mrs Atkinson interrompit les exercices et massa Susan plus longuement que de coutume. Après un séjour dans le bain à remous et une douche chaude, elle se sentit mieux qu'elle ne l'avait jamais été depuis sa sortie du coma.

Murf et Phil la reconduisirent vers sa chambre et elle fut encore saisie d'appréhension devant les portes de l'ascenseur. Elle craignait qu'ils n'aient prévu une nouvelle « hallucination ». Mais la cabine était déserte.

Elle se demandait toujours comment elle devrait réagir lors de la prochaine apparition...

Elle aurait voulu pouvoir laisser libre cours à sa colère, les assaillir, les faire reculer, les griffer et les défigurer. Leur sang eût été une preuve supplémentaire qu'ils n'étaient ni des spectres ni des hallucinations.

Mais elle savait qu'elle devrait s'abstenir de montrer un tel comportement. Tant qu'ils ignoreraient qu'elle avait compris leur manège, elle aurait un léger avantage. Dès qu'elle se trahirait, elle perdrait l'infime marge de manœuvre dont elle disposait. La comédie prendrait fin brusquement. Ils renonceraient à la rendre folle comme ils semblaient en avoir l'intention et prendraient des mesures draconiennes. De cela, elle était sûre.

★

Elle mangea tout son déjeuner.

Quand Millie vint récupérer le plateau, Susan bâilla et déclara :

— Oh, je crois que je vais faire un petit somme.

— Je vais fermer la porte, ainsi vous ne serez pas gênée par les bruits du couloir.

Dès que l'infirmière fut sortie et eut tiré la porte derrière elle, Susan se leva et gagna le placard. Elle y trouva des draps et des oreillers destinés à l'autre lit, ainsi que les valises défoncées qui étaient censées avoir été trouvées dans l'épave de sa voiture.

Elle les tira dans la pièce et les ouvrit, en priant le ciel pour que personne ne vînt lui rendre visite. Elle fouilla dans ses affaires et choisit une tenue appropriée à une évasion : un jean; un pull bleu marine; des chaussettes blanches; une paire d'Adidas. Elle fourra le tout au fond du placard et le dissimula sous les valises.

Puis elle regagna son lit, se recoucha et ferma les yeux.

Elle se sentait moins oppressée maintenant qu'elle était redevenue maîtresse de ses actes.

Puis elle eut une pensée inquiétante. N'était-elle pas surveillée à l'aide d'un circuit vidéo intérieur ? S'ils avaient pris la peine d'aménager des pièces et des portes secrètes, ne l'avaient-ils pas également placée sous une surveillance constante ? En ce cas, ne savaient-ils pas déjà qu'elle avait trouvé le mezuzah et préparait sa fuite ?

Elle rouvrit les yeux et étudia la pièce pour y chercher des caméras. Les bouches d'aération qui s'ouvraient juste sous le plafond représentaient l'unique possibilité. Placées à quelques centimètres derrière les grilles, mises en marche par un moteur et équipées de zooms à commande électrique, elles auraient pu couvrir presque toute la surface de la chambre.

Pendant quelques minutes, Susan céda au désespoir.

Puis elle reprit confiance. S'il y avait eu des caméras dissimulées, ils l'auraient vue examiner le mezuzah et ils n'auraient pas pris la peine d'envoyer Millie pour l'interroger. Ils auraient deviné qu'elle avait tout compris et ils auraient décidé d'interrompre cette comédie devenue sans objet.

Etait-ce bien certain ?

C'était probable. Il était inutile d'organiser d'autres hallucinations si elle ne s'y laissait plus tromper.

Cependant, elle ne pouvait avoir aucune certitude, pour la simple raison qu'elle ignorait leurs desseins exacts.

Elle n'avait d'autre choix que d'attendre.

Si elle parvenait à s'enfuir, elle aurait la preuve qu'aucune caméra n'avait été cachée dans cette pièce.

Mais si quatre morts-vivants l'attendaient en souriant au bas de l'escalier...

Elle avait beau savoir qu'ils ne venaient pas de l'au-delà, elle frissonna de nouveau.

15

Plus tard dans l'après-midi du jeudi, le vent apporta de nouveaux nuages qui dissimulèrent totalement le bleu du ciel. Les chambres de l'hôpital furent plongées dans l'obscurité bien avant le crépuscule.

Le grondement du tonnerre précéda une pluie violente. De grosses gouttes se mirent à marteler la fenêtre avec un crépitement de rafales de mitraillette. Le vent parut gémir avant de se mettre à hurler et à rugir. La tempête eut une accalmie et reprit de plus belle.

Elle passait de la fureur à la docilité. Des trombes d'eau étaient suivies par les averses d'une pluie fine d'automne.

L'orage tirait à sa fin, mais la journée s'assombrissait toujours. Susan attendait la tombée de la nuit avec impatience... et angoisse.

Pendant près d'une heure, elle feignit de dormir. Sa ruse fut inutile car personne ne vint dans sa chambre.

Elle s'assit dans son lit et alluma le téléviseur. Elle passa le reste de l'après-midi à regarder les programmes d'un œil vague, sans pouvoir fixer son attention sur eux. Elle pensait à autre chose : son plan d'évasion l'occupait tout entière.

A cinq heures précises, l'infirmière Scolari lui apporta le second méthylphénidate et une carafe d'eau. Susan feignit d'avaler le cachet mais le dissimula dans sa paume, comme le précédent.

Plus tard, McGee entra avec deux plateaux et lui annonça qu'il souhaitait dîner en sa compagnie.

— Pas de chandelles ni de champagne, mais des côtelettes de porc très appétissantes et un cake aux pommes et aux noisettes comme dessert.

— Un festin de roi, dit-elle. Quoi qu'il en soit, je n'ai jamais apprécié ce goût assez malsain pour les chandelles.

Il lui apportait également quelques magazines et deux nouveaux livres de poche.

— J'ai pensé que vous étiez peut-être à court de lecture.

Il resta deux heures et ils abordèrent de nombreux sujets. Susan trouva insoutenable de feindre plus longtemps de l'aimer alors qu'elle le méprisait. Elle venait de découvrir ses dons d'actrice, mais la comédie la forçait à payer de sa personne, aussi fut-elle soulagée lorsque McGee lui souhaita une bonne nuit, l'embrassa et sortit.

En même temps, elle fut comme déçue de le voir partir. La chose la surprit mais elle éprouva une brusque impression de perte et de vide. Elle sentit qu'elle ne le reverrait jamais, hormis dans un tribunal. Tout en sachant qu'il était un imposteur, elle appréciait sa compagnie. Il savait mener une conversation, il avait un remarquable sens de l'humour et un rire contagieux. Le pire, c'était que son amour pour elle paraissait rayonnant. Elle avait tenté de percer à jour cet homme, de voir l'ignoble individu qui se dissimulait derrière le saint, de reconnaître les mensonges derrière ses propos amoureux, mais elle avait échoué.

Si tu n'es pas complètement stupide, oublie-le, se dit-elle avec colère. Chasse-le de ton esprit. Pense plutôt à la façon de sortir d'ici. Voilà la seule chose importante. Filer le plus loin possible de cet hôpital.

Elle regarda le réveil de la table de chevet.

Il marquait 8 h 03.

Au-dehors, la pluie tombait toujours.

A neuf heures, Tina Scolari lui apporta le somnifère que McGee avait prescrit. Elle feignit également de l'avaler, puis but le verre d'eau que lui offrait l'infirmière pour faire glisser le comprimé imaginaire.

— Je vous souhaite de passer une bonne nuit, lui dit Tina Scolari.

— Je suis sûre de dormir comme un bébé.

Quelques minutes après le départ de l'infirmière, Susan éteignit la lampe de chevet. La veilleuse nimbait la chambre de sa clarté phosphorescente et tout hésitait entre le gris cendré et le blanc spectral. Si cette lumière ne représentait pas une menace pour les ombres, elle suffirait à Susan pour mener à bien ses projets.

Elle resta encore plusieurs minutes dans son lit, fixant le plafond obscur qu'illuminait par instants la clarté d'un éclair. Elle voulait être certaine que l'infirmière ne reviendrait pas lui apporter un médicament oublié.

Après un long moment, Susan se leva et gagna le placard. Elle prit deux oreillers et deux couvertures sur l'étagère du haut, puis revint les disposer entre les draps en leur donnant la forme approximative d'un corps endormi. Le résultat était imparfait mais elle était pressée par le temps.

Elle regagna le placard, se pencha derrière les valises et trouva ses effets roulés en boule. Lorsqu'elle eut ôté son pyjama, mis ses vêtements et récupéré son porte-feuille dans le tiroir de la table de chevet, le réveil digital indiquait 9 h 34.

Elle glissa le mezuzah dans une poche de son jean, même si cette preuve n'avait de valeur que pour elle.

Susan gagna la porte et colla l'oreille au battant. Pas un bruit.

Elle essuya ses paumes en sueur sur son jean et poussa la porte. Une simple fissure. Elle passa la tête dans l'entrebâillement et regarda à l'extérieur. Personne en vue.

Le couloir était silencieux. Si silencieux même qu'en dépit du parquet ciré, des parois jaunes immaculées et de l'absence de poussière sur les tubes fluorescents du plafond, le bâtiment semblait abandonné.

Elle sortit de sa chambre et referma la porte derrière elle. Elle resta un moment adossée au battant, craignant de s'en écarter, prête à retourner sur ses pas et à regagner son lit pour y remplacer l'amas de coussins au moindre bruit annonçant l'arrivée d'une infirmière.

L'intersection des couloirs latéraux et du couloir principal se trouvait sur sa gauche. Si un danger devait survenir, il arriverait par là, car le poste des infirmières se trouvait au centre du couloir principal.

Mais rien ne vint troubler le silence, hormis les roulements lointains de l'orage.

Hésiter plus longtemps eût été dangereux et elle s'éloigna prudemment de l'intersection, en direction de l'issue de secours située à l'extrémité de cette aile du bâtiment. Elle longeait le mur sans cesser de jeter des regards par-dessus son épaule.

Les semelles de caoutchouc de ses chaussures chuintaient sur le sol ciré. Ce bruit était presque inaudible mais aussi irritant que celui des ongles crissant sur un tableau noir.

Elle atteignit la porte de métal et l'ouvrit. Elle tressaillit en entendant la barre d'ouverture grincer et les gonds craquer. Elle franchit rapidement le seuil et passa sur le palier. Elle referma le lourd battant derrière elle, le plus silencieusement possible, ce qui était encore bien trop bruyamment à son goût.

L'escalier était faiblement éclairé. Il n'y avait qu'une ampoule à chaque palier. Ici et là, entre les étages, les murs de béton étaient tapissés d'ombres qui évoquaient des toiles d'araignées poussiéreuses.

Susan demeura immobile et tendit l'oreille. Cette cage d'escalier était encore plus silencieuse que le couloir qu'elle venait de quitter. Mais elle avait fait tant de bruit en ouvrant et refermant la porte, que tout garde de faction au bas des marches devait s'être figé pour écouter, tout comme elle.

La présence d'un garde était néanmoins improbable. Ils ne pouvaient s'attendre à sa fuite puisqu'ils ignoraient qu'elle avait tout découvert. Et le personnel de l'hôpital, s'il s'agissait bien d'un hôpital, avait pour habitude d'emprunter les ascenseurs.

Elle s'avança jusqu'à la rambarde métallique et se pencha pour regarder tour à tour vers le haut et vers le bas.

Elle descendit et découvrit deux issues : l'une s'ouvrant du côté intérieur et donnant probablement dans le couloir du rez-de-chaussée, l'autre dans le mur extérieur. Elle força sur la barre et entrouvrit le battant de quelques centimètres.

Un vent froid pénétra dans le réduit. Il formait des tourbillons autour des jambes de Susan et semblait venir la flairer comme un chien, ne sachant s'il devait agiter la queue ou la mordre.

Une aire de stationnement battue par la pluie était éclairée par la lueur jaunâtre de deux grands lampadaires. Susan fut déconcertée. S'il était normal que le parking des visiteurs fût désert en raison de l'heure tardive, il aurait dû y avoir de nombreuses voitures dans celui réservé au personnel. Or elle n'en dénombrait que quatre : une Pontiac, une Ford et deux véhicules dont elle ne connaissait pas la marque.

Elle s'avança vers le parking désert, laissant la porte métallique se refermer derrière elle.

La pluie avait presque cessé de tomber, l'orage entrait dans une phase d'accalmie.

Mais le vent violent rabattait les cheveux de Susan sur son visage, la faisait pleurer et l'obligeait à marcher tête baissée. Les rafales étaient glaciales et elle regrettait de ne pas avoir pris de veste. Il faisait très froid pour un mois de septembre dans cette région; c'était plutôt un vent de fin novembre, ou même de décembre.

Lui auraient-ils aussi menti sur la date? Et pourquoi? Après tout, cela n'eût pas été plus insensé que tout le reste.

Elle plongea dans l'ombre et resta accroupie une minute à côté d'un petit conifère, le temps de décider de quel côté aller. Elle pouvait se diriger vers l'entrée de l'hôpital et gagner directement Willawauk, ou s'éloigner à travers champs puis regagner la route en suivant un chemin détourné si elle ne voulait pas risquer d'être vue par un membre du personnel.

Des éclairs illuminèrent le ciel et le tonnerre gronda sourdement comme un train déraillant dans les ténèbres.

Qu'elle aille d'un côté ou d'un autre, elle serait bientôt trempée. La bruine poissait déjà ses cheveux. La pluie se remettrait bientôt à tomber.

Puis elle pensa à une tentative plus téméraire et, avant d'avoir pris le temps d'y réfléchir davantage et de perdre courage, elle s'élança sur le parking en direction du véhicule le plus proche.

Il y avait quatre voitures, quatre possibilités pour que le conducteur eût laissé les clés de contact sur le tableau de bord, sous un siège ou derrière le pare-soleil. Dans les petites villes telles que Willawauk, où presque tout le monde se connaissait, on ne redoutait pas les voleurs de voitures comme dans les grandes agglomérations et leurs banlieues. Quatre véhicules, quatre chances. Elle ne pensait pas que le destin la favoriserait à ce point, mais elle devait essayer.

Elle atteignit la Pontiac, tira la poignée. La portière n'était pas fermée à clé.

Lorsqu'elle s'ouvrit, le plafonnier s'alluma. Sa clarté semblait aveuglante et Susan fut certaine que l'alarme serait donnée d'une seconde à l'autre.

— *Merde!*

Elle se glissa sur le siège et referma aussitôt la portière, sans s'inquiéter du bruit.

— Idiote, marmonna-t-elle, en maudissant sa stupidité.

Elle étudia le parking à travers le pare-brise ruisselant. Il était désert et elle ne vit personne derrière les fenêtres éclairées de l'hôpital.

Susan poussa un soupir de soulagement.

De plus en plus certaine qu'elle parviendrait à s'échapper, elle se pencha et glissa sa main sous le siège...

... et se figea.

Les clés étaient sur le tableau de bord.

Elles brillaient dans la clarté jaunâtre des lampadaires.

Susan éprouva un choc et les fixa avec un mélange de joie et d'inquiétude.

Ce n'est pas normal.

Pour une fois, tout se déroule comme je le désire.

C'est trop facile.

Dans les petites villes, les gens laissent souvent leurs clés sur le tableau de bord.

Dans le premier véhicule que tu trouves?

Que ce soit le premier ou le quatrième, qu'est-ce que ça change?

Une pareille chance est suspecte.

Le destin ne pouvait continuer de s'acharner contre moi.

C'est quand même trop facile.

Un éclair fendit le ciel, puis le tonnerre gronda et la pluie se remit à tomber : un véritable déluge.

Les gouttes martelaient la carrosserie, ruisselaient sur le pare-brise, troublaient la surface des flaques. Susan ne pouvait marcher jusqu'à la ville, distante de plus d'un mile, et plus encore si elle effectuait un détour. Pourquoi affronter la tempête alors qu'elle avait une voiture à sa disposition? Entendu, son départ était peut-être un peu trop facile, mais rien n'empêchait les choses de se passer sans encombre à certains moments. Si elle avait trouvé la clé de contact, elle le devait à la chance.

A quoi d'autre?

Susan tourna la clé et le moteur démarra immédiatement.

Elle mit les phares et les essuie-glaces, passa la première, et enleva le frein. Elle sortit du parking en contournant l'hôpital et atteignit une allée à une seule voie. Elle s'y engagea dans la direction opposée à celle du porche brillamment éclairé. Un stop marquait l'intersection avec la grand-route.

Elle jeta un regard au bâtiment de quatre étages dont elle venait de s'enfuir et nota un grand panneau sur la pelouse bien entretenue. Quatre projecteurs régulièrement espacés le long de son sommet éclairaient des lettres blanches sur un fond bleu outremer. Malgré la pluie, elle n'eut aucune difficulté à lire l'inscription:

THE MILESTONE CORPORATION

Elle fixa ces trois mots avec incrédulité.

Puis elle releva les yeux vers le bâtiment qui lui inspirait de la peur mêlée de colère et de surprise. Il ne s'agissait pas d'un hôpital.

Mais alors, qu'est-ce que c'était?

La Milestone Corporation n'était-elle pas censée se trouver à Newport Beach, en Californie? Et n'était-ce pas le lieu où elle vivait et où elle travaillait?

Fiche le camp et en vitesse, se dit-elle.

Elle prit à gauche et descendit la colline pour s'éloigner du mystérieux bâtiment.

Derrière le rideau de pluie et de brouillard, l'emplacement de Willawauk était indiqué par de faibles lumières indistinctes, sans points d'origine précis.

Le Dr Viteski avait parlé d'une population de huit mille habitants mais l'agglomération semblait deux fois moins importante.

Se penchant pour mieux voir, Susan eut l'impression que les lumières de Willawauk scintillaient et clignotaient, comme si toute la ville n'était qu'une gigantes-

188

que enseigne au néon. Naturellement, seul le mauvais temps était responsable de cette métamorphose.

Une chose n'avait pas changé : les dimensions de l'agglomération que laissaient supposer ces lumières. Elle semblait toujours trop petite pour huit mille âmes.

La route fit un brusque virage sur la droite avant la dernière descente où commençait les premières maisons de Willawauk. Les fenêtres de certaines maisons étaient éclairées, d'autres étaient plongées dans l'obscurité.

La route prit le nom de Rue principale. On n'aurait pu lui trouver une appellation plus banale ni plus adéquate. Le cœur de Willawauk était semblable à celui de dix mille autres petites villes des Etats-Unis : un parc miniature avec un monument aux morts, un bar grill-room baptisé le *Dew Drop Inn,* dont le nom était inscrit au néon et dont le deuxième D papillotait, comme sur le point de griller lui-même. C'était aussi la rue des petits magasins, des entreprises locales et des succursales de chaînes nationales : le *Plenty Good Coffee Shop,* derrière les larges vitrines duquel Susan put voir une douzaine de clients assis dans des boxes; *Jenkin's Hardware; Laura Lee's Flowers;* deux magasins de mode féminine et un de confection masculine; la *First National Bank* de Willawauk, et le *Main Street Cinema* où l'on passait *Arthur* et *Continental Divide;* à l'unique carrefour trois stations-service (Arco, Union 76 et Mobil) étaient regroupées, une salle de jeux électroniques occupait le quatrième angle; en poursuivant sa route, Susan passa encore devant *Giullini Brothers,* une librairie, et un autre bar sur sa gauche, un drugstore sur sa droite; une entreprise de pompes funèbres, *Hathaway and Sons,* en retrait de la rue; un magasin désaffecté, un fast-food...

Bien que Willawauk fût en tout point semblable à des centaines d'autres petites villes, certaines choses étaient... *étranges.* Tout semblait trop net. Les magasins paraissaient avoir été repeints le mois précédent. Même les stations-service rutilaient, les pompes à essence luisaient, les portes coulissantes étaient refermées sur des garages brillamment éclairés et où ne régnait aucun désordre. Pas le moindre papier ne traînait dans les caniveaux. Les arbres étaient régulièrement espacés de chaque côté de la rue et ils n'étaient pas seulement émondés, mais méticuleusement taillés en cônes parfaits. Il ne manquait pas une ampoule aux réverbères. Pas une. La seule enseigne qui laissait à désirer était celle du *Dew Drop Inn,* c'était le plus bel exemple de laisser-aller dans toute la ville.

Il régnait peut-être à Willawauk un esprit civique particulièrement développé. A moins que la pluie et la brume n'eussent estompé et lavé la scène. Mais le mauvais temps rendait habituellement les villes encore plus sordides qu'en réalité, et ce n'était pas en invoquant l'esprit civique des citoyens qu'on pouvait comprendre pourquoi Willawauk semblait habité par des robots.

Le petit nombre de véhicules était également surprenant. Elle n'avait vu que trois voitures et un van garés contre le trottoir, deux dans le parking du cinéma, et seulement une voiture et un pick-up devant le *Dew Drop Inn.* Tous étaient à l'arrêt, seule Susan avait osé braver la tempête.

Le temps était pourri. Les gens sensés préféraient sans doute rester chez eux.

Mais combien de personnes étaient sensées ?

Pas beaucoup.

Pas autant.

Le *Dew Drop Inn* aurait dû être bondé. Ce n'était pas la pluie qui empêchait les buveurs de se rendre dans leur bar favori, et dans ce cas ils prenaient leur voiture.

Conduis, se dit-elle. Continue tout droit. Ne t'arrête pas ici. Il y a quelque chose qui cloche dans cette ville.

Mais elle n'avait pas de carte routière et ne connaissait pas la région. Elle ignorait à quelle distance se trouvait la prochaine ville. A cela s'ajoutait la crainte que son séjour dans cet hôpital (chez Milestone) ne l'ait rendue paranoïaque. Ce ne fut qu'au quatrième pâté de maisons qu'elle vit un lieu où elle était certaine de trouver de l'aide, et elle gara son véhicule sur le parking.

C'était un bâtiment de pierre avec un toit d'ardoises et des portes de verre.

Susan gara la Pontiac, en descendit et courut sous la pluie battante en direction du bureau du shérif.

Elle poussa les portes de verre et se retrouva dans une vaste pièce aux murs gris que baignait la lumière crue de tubes fluorescents. Elle dédaigna les chaises en métal inconfortables et ordonnées autour de deux petites tables sur lesquelles s'entassaient diverses brochures, pour gagner directement le comptoir.

Elle découvrit au-delà plusieurs bureaux, des classeurs, une grande table, un distributeur d'eau, une photocopieuse, une carte géante de la région et un tableau sur lequel étaient épinglés des avis de recherche et des notes de service, des photographies et de vieux bouts de papier.

Un homme était assis à l'un de ces bureaux. Il tapait à la machine et lui tournait le dos.

— Excusez-moi, dit-elle. Pourriez-vous m'aider ?

Il fit pivoter son fauteuil, lui sourit et déclara :

— Je suis l'agent Whitlock. Que puis-je pour vous ?

Il avait vingt ou vingt et un ans.

Il était plutôt corpulent.

Il possédait des cheveux blonds sales et un visage rond, une fossette au menton et de petits yeux porcins.

Il arborait un sourire malveillant.

C'était Carl Jellicoe.

Susan prit une inspiration et l'air parut lui brûler les poumons.

Lorsqu'il portait une blouse d'aide-soignant, il se faisait appeler Dennis Bradley. A présent qu'il avait un uniforme brun avec un Colt 45 sur la hanche, il se faisait appeler l'agent Whitlock.

Susan ne pouvait parler. Le choc avait grillé ses cordes vocales aussi efficacement qu'un chalumeau ; sa gorge était sèche, sa bouche envahie d'un goût de brûlé.

Elle ne pouvait bouger.

Après quelques secondes, elle souffla et respira plus normalement. Mais elle était toujours paralysée.

— Surprise, surprise, fit Jellicoe en se levant.

Susan secoua la tête, tout d'abord lentement, puis avec énergie. Elle refusait de croire à ce qu'elle voyait.

— Croyais-tu pouvoir t'en tirer aussi facilement?

Il se tenait devant elle, jambes écartées, et remettait son étui à revolver en place.

Susan le fixait, ses pieds fondus dans le sol. Ses doigts serraient le rebord du comptoir comme si le bois sous ses doigts eût été sa seule prise sur la réalité.

Sans détacher d'elle ses petits yeux porcins, Jellicoe appela une personne qui se trouvait dans une autre pièce.

— Hé, devine qui vient nous rendre visite!

Un adjoint apparut. Il avait vingt ou vingt et un ans, il était grand, roux, avec des yeux noisette et un teint clair semé de taches de rousseur. Sous l'uniforme d'aide-soignant, il s'était fait appeler Patrick O'Hara. Si elle ignorait quel était son nom en tant qu'adjoint du shérif, elle savait lequel il avait porté treize ans plus tôt, lorsqu'il était étudiant à Briarstead et qu'il avait participé au meurtre de Jerry Stein dans l'Antre du tonnerre : c'était Herbert Parker.

— Oh, oh, fit ce dernier. La petite dame semble avoir des ennuis. Elle croyait s'être débarrassée de nous.

— Vraiment?

— Ignorerait-elle que c'est impossible? Ne sait-elle pas que nous sommes morts?

Jellicoe sourit à Susan.

— Ne le sais-tu pas, petite salope?

— Tu l'as lu dans les journaux, lui rappela Parker.

— Dans un accident de voiture.

— Il y a onze ans.

— Nous avons fait un tonneau.

— Deux, corrigea Parker.

— La voiture était en bouillie.

— Et nous aussi.

— A cause de cette traînée.

Ils vinrent vers le comptoir sans se hâter, en souriant.

— Et maintenant, elle croit pouvoir nous échapper, ajouta Carl Jellicoe.

— Nous sommes morts, petite idiote. Tu ne comprends donc pas que tu ne peux échapper à des morts ?

— Parce que nous pouvons être n'importe où...

— partout...

— ... au même instant.

— C'est un des avantages de la mort.

— Peut-être bien le seul.

Jellicoe rit à nouveau.

Ils avaient presque atteint le comptoir.

— Vous n'êtes pas morts ! s'exclama-t-elle brusquement.

— Mais si, nous sommes morts...

— ... et enterrés...

— ... partis en enfer...

— ... puis revenus.

— Et te voici à ton tour en enfer.

— Oui, Susan. Te voici à ton tour en enfer.

Jellicoe souleva une section du comptoir pour gagner la salle d'attente.

Un lourd cendrier de verre était posé à portée de la main de Susan. Elle réagit soudainement et saisit l'objet qu'elle lança à la tête de Jellicoe.

L'homme ne permit pas au projectile de le traverser de part en part pour démontrer à Susan qu'il était bel et bien un spectre : il plongea derrière le comptoir. N'était-il pas singulier de voir un défunt à ce point soucieux de rester en vie ?

Le cendrier ne l'atteignit pas, heurta un bureau métallique et se brisa.

Une lampe torche se trouvait également sur le comptoir et Susan s'en saisit. Elle allait la lancer sur Jellicoe lorsqu'elle vit du coin de l'œil Parker dégainer son revolver. Elle se retourna, poussa les portes de verre et s'enfuit dans la nuit.

Les branches d'un épicéa géant se balançaient et leurs milliers d'aiguilles noires furent un instant illuminées des reflets d'argent d'un éclair.

Susan courut jusqu'à la Pontiac et ouvrit la portière. Elle se jeta sur le siège et voulut mettre le contact.

Les clés avaient disparu.

Susan, te voici à ton tour en enfer.

Elle regarda les portes de verre.

Jellicoe et Parker sortaient du bâtiment sans hâte.

Susan se glissa sur l'autre siège, ouvrit la portière droite et descendit du véhicule.

Elle regarda autour d'elle, indécise. Elle espérait que ses jambes ne la trahiraient pas. Sans les séances de rééducation de Mrs Atkinson, elle n'aurait jamais pu fuir jusque-là. Mais elle savait que ce n'était pas suffisant et qu'elle finirait par s'effondrer.

Couvrant les rafales de pluie et les hurlements du vent, Jellicoe lui cria :

— Inutile de te fatiguer, Susan.

— Tu ne nous échapperas pas ! ajouta Parker.

— Croyez-vous ? leur répondit-elle avant de s'enfuir en courant.

16

La maison paraissait accueillante. Derrière la clôture blanche, une allée bordée de massifs menait à un porche de bois. Une chaude lumière éclairait les rideaux de dentelle aux fenêtres du rez-de-chaussée.

Susan demeura quelques minutes devant le portillon pour étudier la demeure. Elle se demandait si elle y serait en sécurité. Elle avait froid, elle était trempée et la pluie tombait toujours. Son impatience à se sécher et à se réchauffer était grande, mais elle avait peur de tomber dans un nouveau piège.

Vas-y, se dit-elle. Tu ne vas pas rester plantée là. Les habitants de cette foutue ville ne peuvent pas tous être ligués contre toi, bon Dieu !

Le personnel de l'hôpital était au courant, bien sûr, mais ce n'était pas un véritable hôpital. C'était la mystérieuse Milestone Corporation.

La police était impliquée dans l'affaire mais elle pouvait comprendre comment une telle chose avait pu se produire. Dans une petite ville comme Willawauk, lorsque toute la vie économique de la communauté dépendait d'une seule compagnie (par les emplois offerts et les impôts), cette dernière imposait parfois ses volontés aux autorités locales, au point de pouvoir utiliser la police comme une milice privée.Susan ignorait si la Milestone était la principale société de la ville, mais elle pensait qu'elle avait utilisé son influence et son argent pour soudoyer les services de police. Si la situation n'était guère réjouissante, elle n'avait rien de très surprenant non plus.

La Milestone, ses employés et la police étaient ligués contre elle. Entendu, Susan pouvait l'admettre. Cependant, toute la population de Willawauk ne pouvait participer à cet impensable complot.

Elle demeurait néanmoins sous la pluie et étudiait la maison, enviant ses habitants bien à l'abri... tout en les redoutant. Elle était parvenue à semer Jellicoe et Parker et sa fuite lui paraissait à présent avoir été trop facile. Comme lorsqu'elle avait trouvé les clés dans la Pontiac. Elle avait d'excellentes raisons de se méfier chaque fois que la chance semblait être de son côté.

Brusquement, un éclair plus fulgurant que les autres déchira le ciel et la pluie redoubla.

Ce fut ce qui incita Susan à franchir le portillon, à gagner la porte et à presser le bouton de sonnette.

Qu'aurait-elle pu faire d'autre? Elle ne savait où aller, ne connaissait personne à qui s'adresser, hormis des inconnus choisis au hasard dans une des maisons de ces étranges rues battues par la pluie.

Quelqu'un donna de la lumière sous le porche.

Susan sourit, consciente de son aspect peu engageant avec ses cheveux ruisselants de pluie, son visage émacié et ses yeux hagards. Elle craignait que les occupants de la maison ne viennent à lui refermer la porte au nez. Ce n'était pas son sourire qui changerait grand-chose mais c'était tout ce qu'elle pouvait leur offrir.

La porte s'ouvrit enfin et une femme brune de quarante-cinq ans environ regarda au-dehors et cilla de surprise. Elle n'attendit pas que Susan lui fournisse des explications pour lui dire :

— Seigneur, que faites-vous dehors par un temps pareil, sans un parapluie ou un imperméable ? Des ennuis ?

— Oui, effectivement. Je...

— Une panne de voiture ? demanda la femme qui ajouta aussitôt : Oh, il faut toujours qu'elles tombent en panne quand il fait mauvais temps. Toujours la nuit et quand il pleut. Et jamais quand les garages sont ouverts et qu'on a une pièce pour téléphoner d'une cabine publique. Mais entrez, il fait plus chaud à l'intérieur. Vous pouvez téléphoner. Je vais vous préparer du café. Vous semblez avoir besoin de boire quelque chose de chaud.

Elle s'écarta pour laisser entrer Susan.

Surprise par l'hospitalité et la volubilité de la femme, Susan déclara :

— C'est que... je suis trempée.

— C'est sans importance. La moquette est sombre. C'est indispensable avec les enfants. Label T, intachable et indestructible. Et puis ce n'est que de la pluie, pas de la sauce tomate ou du chocolat. Entrez, entrez !

Susan obéit et la femme referma la porte.

Elles se tenaient dans un vestibule confortable. Susan trouvait la tapisserie à fleurs un peu trop chargée mais pas désagréable. Un miroir était accroché au-dessus d'une petite table sur laquelle trônait un bouquet de fleurs séchées.

Elle entendait la télévision dans une autre pièce : des crissements de pneus, des cris, des coups de feu, une musique de film.

— Je m'appelle Enid, déclara la femme brune. Enid Shipstat.

— Susan Thorton.

— Vous devriez toujours avoir un parapluie dans votre voiture, Susan, même lorsque le temps n'est pas

196

à l'orage. Un parapluie, une lampe et une trousse de premiers secours. Ed – c'est mon mari – garde également une pompe dans le coffre; ces petits appareils électriques qu'on branche sur l'allume-cigares, vous savez. Et si on a un pneu qui se dégonfle, on peut quand même rejoindre la station-service la plus proche. Mais ce n'est pas le moment de parler de tout ça. Je vous donne des tas de conseils pendant que vous tremblez comme une feuille. Il m'arrive parfois de me demander où j'ai la tête. Venez dans la cuisine, que je vous prépare du café bien chaud.

Susan décida d'attendre d'avoir bu quelques gorgées de café avant d'expliquer à cette femme que ses ennuis n'avaient pas des origines mécaniques. Elle suivit Enid Shipstat dans un étroit couloir uniquement éclairé par l'ampoule du vestibule et le halo bleuté du téléviseur se trouvant dans la salle de séjour, sur la droite.

Comme elles passaient devant la pièce, Susan faillit s'arrêter de surprise. C'était une salle de séjour américaine classique, disposée autour du récepteur de télévision, mais elle était surchargée de fauteuils, de divans... et d'enfants. Une douzaine de gosses entouraient le téléviseur, assis sur des sièges ou à même le sol. Tous tournèrent simultanément la tête vers Susan et l'étudièrent un moment, leurs yeux reflétant la lumière émise par le tube cathodique. Puis ils reportèrent leur attention sur l'écran, au signal donné par une rafale de mitraillette et le hurlement d'une sirène. Leur silence et leurs visages inexpressifs avaient quelque chose de surnaturel.

— Je n'ai que du Hills Brothers, déclara Enid en guidant Susan vers la cuisine. Personnellement, je préfère le Folger mais le Hills Brothers est le seul café qu'Ed apprécie. J'espère que vous l'aimez.

— Ce sera parfait.

Susan se demandait comment les Shipstat parvenaient à élever douze enfants dans cette maison. Elle était spacieuse, mais les chambres devaient malgré tout être aménagées comme des baraquements de l'armée, avec des lits superposés : au moins quatre par chambre.

— Vous avez une grande famille, dit-elle en entrant dans la cuisine.

— Vous comprenez pourquoi la moquette est sombre?

Un jeune homme était assis à la table, la tête entre ses mains, penché sur un livre, leur tournant le dos.

— Voici Tom, mon aîné, déclara Enid avec fierté. Il termine ses études et passe son temps à étudier. Lorsqu'il sera devenu un riche avocat, il pourra aider ses vieux parents. Pas vrai, Tom?

Elle adressa un clin d'œil à Susan pour lui signifier qu'elle plaisantait.

Tom releva la tête et regarda Susan.

Et elle reconnut Ernest Harch.

Folie, pensa Susan dont le cœur s'emballait. *C'est de la pure folie.*

— Cette dame a des ennuis avec sa voiture, expliqua Enid à son fils. Elle voudrait téléphoner.

Harch eut un large sourire.

— Salut, Susan!

Enid cilla.

— Oh, vous vous connaissez?

— Ouais, répondit Harch. Nous nous connaissons même très bien.

Il se leva.

Susan recula, heurta le réfrigérateur.

— Je vais aider Susan, m'man. Tu peux retourner regarder la télé.

— Mais, je lui ai proposé du café...

— Je viens d'en faire. C'est indispensable pour affronter une longue nuit d'étude.

Enid feignit de ne pas noter la brusque tension qui régnait dans la pièce et se tourna vers Susan.

— Alors, excusez-moi. C'est une de mes séries favorites et je suis très malheureuse lorsque je rate un épisode...

— *Fermez-la, vous entendez? Fermez-la!* hurla soudain Susan.

Enid en resta bouche bée. Elle paraissait ignorer les raisons de l'éclat de Susan et en était véritablement surprise.

Harch éclata de rire.

Susan recula d'un pas vers la porte.

— Essayez de m'arrêter et je vous arrache les yeux avant de vous déchirer la gorge à coups de dents. Je vous le jure!

— Etes-vous devenue folle? demanda Enid Shipstat.

Toujours en riant, Harch fit le tour de la table.

— N'approchez pas, menaça Susan en s'écartant du réfrigérateur.

— Si ton amie veut plaisanter, je ne trouve pas ça très amusant, déclara Enid à son fils.

— C'est inutile, Susan. Ne l'as-tu pas encore compris? dit Harch.

Susan pivota, franchit la porte de la cuisine et courut dans le couloir. Elle s'attendait à voir les enfants lui barrer le chemin mais, en passant devant la salle de séjour, elle les vit rivés au téléviseur. Ils n'avaient pas prêté la moindre attention aux cris qui s'étaient élevés dans la cuisine.

Quelle est cette maison? se demanda-t-elle en courant le long du couloir obscur. Qui sont ces enfants, ces petits zombies figés devant l'écran?

Elle atteignit la porte d'entrée, voulut l'ouvrir et découvrit qu'elle était fermée à clé.

Harch arrivait sans se presser.

— Inutile de te fatiguer, idiote. Tu ne peux nous échapper.

Susan secouait le bouton de la porte en tous sens.

Harch approchait lentement.

— La nuit prochaine, tu expieras tout ce que tu nous as fait subir. Ce sera le septième anniversaire de ma mort et on t'aura, tous les quatre, et tant qu'on voudra, et on te fera éclater la cervelle...

La porte bougeait mais refusait de s'ouvrir.

— ... puis nous t'ouvrirons le ventre, de bas en haut, et nous trancherons ta jolie petite tête comme nous aurions dû le faire voilà treize ans.

Susan aurait voulu avoir le courage de pivoter, de le frapper, de planter ses dents dans sa gorge. Sa rage était assez folle pour lui permettre de le déchiqueter et de sentir son sang ruisseler dans sa bouche sans s'étouffer. Mais elle craignait de découvrir qu'il ne saignait pas, qu'il était *mort*. Elle savait pourtant que c'était impossible, mais puisqu'elle le rencontrait de nouveau, puisqu'elle revoyait ses étranges yeux gris pleins de haine, sa confiance dans la science et la logique s'effondrait. Elle connaissait la peur une fois de plus et perdait toute maîtrise de soi; et ce triste constat l'emplissait de colère et de mépris envers elle-même.

Elle se remémora les paroles de Jellicoe : *Susan, te voici à ton tour en enfer.*

La porte s'ouvrit en crissant. Elle n'avait pas été verrouillée, simplement gauchie par l'humidité.

— Tu gaspilles tes forces, ma jolie, lui cria Harch. Garde-les pour vendredi. Je serais déçu si tu étais trop épuisée pour qu'on puisse s'amuser.

Elle s'enfuit en titubant, descendit les trois marches du perron et gagna la clôture.

Comme elle courait dans la rue noire sans faire cas des flaques profondes, elle entendit Harch lui crier sur le seuil de la maison :

— ... inutile... nulle part où te cacher...

★

Susan se dirigea vers le cinéma en empruntant les ruelles et en traversant les parkings. Avant de s'aventurer sur le trottoir éclairé de la rue principale, elle s'assura qu'il n'y avait aucun policier en vue.

Le guichet était fermé. La dernière séance de la soirée avait commencé.

Elle poussa les portes et entra dans le hall.

Il était désert mais il y faisait chaud, agréablement chaud.

Le bar était éteint, ce qui lui parut étrange. La vente de boissons rapportait toujours plus dans les cinémas que les billets d'entrée, les bars restaient habituellement ouverts jusqu'au départ du dernier client.

Elle entendit de la musique et la voix de Dudley Moore s'éleva avec un rire aviné. Le film en cours de projection était *Arthur*.

Susan recherchait de la chaleur mais surtout la possibilité de s'asseoir et de réfléchir... avant de perdre entièrement la raison. Depuis l'instant où elle avait pénétré dans le bureau du shérif et vu Jellicoe, elle s'était laissé guider par son instinct. Elle avait conscience qu'il lui fallait réagir.

Elle avait envisagé de se rendre au *Plenty Good Coffee Shop*, mais n'importe quel policier passant dans la rue l'aurait vue derrière les larges vitrines. L'obscurité d'une salle de cinéma lui semblait par comparaison pouvoir garantir son anonymat.

Elle traversa le hall, entrebâilla une porte capitonnée et se glissa à l'intérieur de la salle.

Sur l'écran, Arthur venait de se réveiller après une nuit de débauche. Susan avait vu ce film à sa sortie, au début de l'été précédent, et elle l'avait tant aimé qu'elle était retournée le voir. Cette scène était au début du film. Elle pourrait rester au moins une heure au chaud, une heure pendant laquelle il lui serait possible de chercher une explication à ce qu'elle venait de vivre.

Ses yeux ne s'étaient pas encore accoutumés à la pénombre et elle ne pouvait voir si les spectateurs étaient nombreux. Il n'y avait que deux voitures sur le parking, et les gens n'allaient pas à pied au cinéma par un temps pareil.

Elle était à la hauteur du dernier rang et le siège le plus proche était inoccupé. Elle s'y assit et oublia le film.

Pour penser aux fantômes.

Aux démons.

Aux morts-vivants.

Elle décida de rejeter toutes les explications surnaturelles. Pour l'instant, tout au moins. Si toutes les forces de l'enfer s'étaient liguées contre elle, elle était perdue d'avance et il était préférable de ne pas y penser.

Elle repoussa également l'hypothèse de la folie en sachant que cela ne la mènerait nulle part.

Restait la possibilité d'une machination.

Mais trois questions fondamentales étaient toujours sans réponse : qui ? comment ? pourquoi ?

Comme elle réfléchissait, le fil de ses pensées fut interrompu par des rires. Sur l'écran, la scène était drôle et l'hilarité des spectateurs n'était pas déplacée, mais Susan lui trouva quelque chose d'étrange.

Oui, le volume sonore indiquait que les spectateurs étaient plus nombreux qu'elle ne l'avait supposé : une centaine, peut-être plus, ce qui était surprenant puisqu'elle n'avait vu que deux voitures sur le parking. Mais ce n'était pas le plus bizarre.

Il y avait autre chose.

Quelque chose qui concernait la sonorité de ces rires.

Ils s'interrompirent et Susan renoua le fil de ses pensées.

Quand la situation avait-elle commencé à se dégrader ?

Dès son départ de l'hôpital, ou plutôt de la Milestone. Les clés dans la Pontiac. Trop facile. Ils savaient qu'elle allait s'enfuir et avaient en somme mis le véhicule à sa disposition.

Mais comment avaient-ils su qu'elle regarderait si la voiture avait une clé de contact, et qu'elle s'arrêterait au bureau du shérif ?

Et surtout, comment avaient-ils su qu'elle irait se réfugier chez les Shipstat ? Il y avait des centaines de maisons à Willawauk. Pourquoi le double de Harch était-il allé l'attendre dans cette demeure ?

Elle pensait à une réponse à cette question mais refusait de la prendre en considération. Peut-être savaient-ils à l'avance ce qu'elle ferait car ils l'avaient *programmée*. Peut-être avaient-ils employé l'hypnose pour implanter des instructions dans son esprit pendant son coma. Cela eût expliqué pourquoi ils la laissaient s'enfuir. Ils savaient qu'elle reviendrait se jeter dans la gueule du loup, en un lieu prévu à l'avance.

Peut-être n'avait-elle plus de libre arbitre. Cette possibilité la bouleversa et elle eut la nausée en même temps qu'une terrible panique la saisit...

Qui étaient ces manipulateurs mystérieux qui avaient sur elle un pouvoir quasi divin ?

Une autre vague de rires interrompit ses pensées et cette fois elle comprit ce qu'ils avaient d'étrange. Ils étaient plus aigus, plus spontanés et prompts à se faire entendre que ceux des adultes.

A présent accoutumée à la pénombre, elle releva la tête et regarda autour d'elle. Il y avait entre deux cents et trois cents spectateurs. Les plus proches, ceux que Susan pouvait voir, semblaient en effet très jeunes. De treize à dix-huit ans. Elle ne distinguait pas un seul adulte.

Trois cents enfants et adolescents avaient bravé la tourmente pour aller voir un film sorti dix mois plus tôt, au risque d'attraper une pneumonie. A quoi pensaient donc leurs parents ?

Elle se remémora la douzaine de petits visages rendus blafards par le reflet bleuté du téléviseur chez les Shipstat.

A Willawauk, les enfants semblaient être bien plus nombreux qu'ailleurs.

Pouvait-il exister un rapport quelconque avec son étrange situation ?

C'était probable mais elle ne parvenait pas à deviner lequel.

Pendant que Susan s'interrogeait à ce sujet, une porte s'ouvrit sur la gauche de l'écran. Un homme de haute taille entra dans la salle de projection et referma la porte derrière lui. Il alluma une lampe de poche et éclaira le sol juste devant lui.

Il remonta l'allée.

En direction de Susan.

La salle était grande et trois fois plus longue que large. L'inconnu avait fait une demi-douzaine de pas lorsque Susan prit conscience du danger.

Elle se leva. Ses vêtements collaient à son corps. Ils n'avaient pas encore eu le temps de sécher. Elle hésitait à ressortir.

L'homme se rapprochait toujours.

L'étroit faisceau de sa lampe dansait dans l'allée.

Elle se leva et tenta de distinguer son visage.

Il se trouvait à une dizaine de mètres. Sa silhouette se découpait dans la clarté de l'écran mais ses traits restaient invisibles.

Dudley Moore dit un bon mot.

Les spectateurs s'esclaffèrent.

Susan se mit à trembler.

John Gielgud eut une réplique spirituelle, Liza Minnelli également, et les spectateurs rirent à nouveau.

Si j'ai été programmée pour voler la Pontiac, me rendre au bureau du shérif, puis chez les Shipstat, pensa-t-elle, il est probable qu'ils m'ont également programmée pour choisir le cinéma plutôt que le *Plenty Good Coffee Shop* ou tout autre endroit.

L'homme était à neuf mètres seulement.

Susan fit trois pas en arrière, vers les portes capitonnées du hall. Elle tendit la main derrière elle et toucha le battant.

L'inconnu braqua sa lampe, et le faisceau lumineux atteignit le visage de Susan.

La clarté était faible mais suffisante pour l'aveugler après son séjour dans la pénombre.

C'est l'un d'eux, pensa-t-elle. Un des morts-vivants. Sans doute Quince. Il n'a pas encore fait son apparition, cette nuit.

Mais peut-être s'agissait-il de Jerry Stein. Elle imagina son visage décomposé, le pus suintant de ses lèvres pourpres et enflées. Jerry Stein, qui venait lui dire bonjour dans l'espoir de lui voler un baiser.

Tout ceci n'a rien de surnaturel ! se dit-elle en tentant désespérément de ne pas céder à la panique.

Mais c'était peut-être Jerry, avec son visage gris, verdâtre autour des yeux et couvert de cloques brunes et putréfiées sous les narines. C'était peut-être Jerry qui venait pour la prendre dans ses bras. Peut-être se pencherait-il sur ses lèvres, pour y coller les siennes, glisser sa langue glacée et visqueuse dans sa bouche, en un baiser macabre et passionné.

Susan, te voici à ton tour en enfer.

Elle ouvrit brusquement la porte et s'enfuit. Elle traversa le hall, franchit les portes d'entrée du cinéma, sans oser regarder derrière elle. Arrivée à l'angle du bâtiment, elle s'engagea sur le parking, en direction de l'allée obscure. L'air humide qui pénétrait dans ses poumons lui faisait penser à des tampons d'ouate mouillée.

Quelques secondes plus tard, ses vêtements étaient

aussi trempés que lorsqu'elle était entrée dans le cinéma.

Des élancements douloureux montaient dans ses os mais elle les ignora et tenta de se convaincre qu'elle pourrait courir jusqu'à l'aube, si nécessaire.

Cependant, Susan savait qu'elle se mentait à elle-même. Les forces qu'elle avait emmagasinées au cours des derniers jours s'épuisaient rapidement. Il n'en restait presque rien.

★

La station-service de l'Arco était fermée. La pluie crépitait sur les pompes, sur les larges vitrines et contre les portes métalliques du garage.

Elle remarqua une cabine téléphonique dans les ténèbres, à côté de la station-service. Elle y pénétra mais laissa la porte entrouverte, ainsi la cabine ne s'éclaira pas.

Elle glissa une pièce dans l'appareil et composa l'indicatif de l'interurbain.

— Je vous écoute.

— Je voudrais un numéro à Newport Beach, en PCV.

— Quel indicatif?

Susan fournit celui de Sam Walker. Elle était sortie avec lui pendant plus d'un an, et s'ils avaient rompu le printemps précédent ils étaient restés bons amis. Il leur arrivait de se téléphoner, et lorsqu'ils se rencontraient par hasard dans un restaurant, ils dînaient encore à la même table.

Si elle avait si peu d'amis, la faute en revenait sans doute à son goût de la solitude et de l'indépendance.

Après s'être enfuie du cinéma, elle avait jugé dangereux de quitter Willawauk sans avoir averti une personne étrangère à cette ville. Elle doutait cependant de parvenir à convaincre Sam qu'elle était en danger et qu'elle était dans l'impossibilité de s'adresser à la police. Il savait qu'elle ne buvait ni ne se droguait, mais il aurait quelque peine à la croire. Et elle était consciente que si elle lui racontait toute son histoire, il la croirait devenue folle. Elle devait lui en dire juste assez pour qu'il vienne ou qu'il avertisse le FBI.

Le FBI, bon sang! Cela semblait tellement ridicule! Mais à qui fallait-il s'en remettre lorsqu'on ne pouvait se fier à la police locale? En outre, il y avait eu enlèvement, et ce crime relevait des lois fédérales.

Elle aurait en personne téléphoné au centre du FBI de l'Oregon si elle ne s'était pas sentie incapable de convaincre un inconnu qu'elle était réellement en danger. Elle n'était même pas certaine de parvenir à en persuader Sam.

Elle entendit la sonnerie, là-bas, à Newport Beach.

Pourvu qu'il soit chez lui, pensa-t-elle.

Une rafale de vent glacial s'engouffra dans la cabine.

Le téléphone sonna pour la troisième fois.

Puis une quatrième.

Réponds, réponds, réponds...

Puis une cinquième fois.

Enfin elle entendit décrocher.

— Allô!

— Sam?

Des parasites brouillaient la ligne.

— Allô!

— Sam?

— Oui. Qui est à l'appareil?

— Sam, c'est moi, Susan.

Après une hésitation, il demanda :

— Suzie?

— Oui.

— Suzie Thorton?

— Oui, fit-elle, soulagée d'être parvenue à joindre une personne n'habitant pas Willawauk.

— Où es-tu?

— Willawauk, Oregon.

— On dirait plutôt que tu m'appelles de l'autre bout du monde.

En l'écoutant, un terrible soupçon s'insinua dans son esprit tel un serpent. Une nouvelle peur la glaça.

— Je t'entends à peine.

— Je disais : on dirait que tu m'appelles de l'autre bout du monde.

— Sam, tu... tu me sembles bizarre.

— Que veux-tu dire?

Elle ouvrit la bouche mais ne parvint pas à exprimer l'horrible vérité.

— Suzie?

On ne pouvait même pas faire confiance à la compagnie du téléphone, à Willawauk.

— Suzie, tu es toujours là?

— Vous n'êtes pas Sam Walker, rétorqua-t-elle avec colère.

Des parasites grésillèrent.

Le silence.

D'autres parasites.

Après un instant, elle l'entendit rire.

— Eh non, je ne suis pas Walker, idiote.

C'était le rire de Carl Jellicoe.

Le vent changea de direction et fit trembler les vitres de la cabine.

— Cesse d'espérer que tu pourras nous échapper. Tu n'as aucun refuge où aller. Nulle part où t'enfuir.

— Salaud.

— Tu es perdue. Bienvenue en enfer, petite garce.

Elle raccrocha brusquement.

Susan sortit de la cabine, regarda la station-service, la rue. Personne.

Elle était toujours libre.

Non, pas libre. Elle se trouvait au bout d'une longue laisse que quelqu'un commençait à tirer.

★

Elle marchait, sans plus avoir conscience du vent ou de la pluie, mais était incapable d'élaborer un nouveau plan de fuite. Elle attendait simplement qu'ils viennent la chercher.

Elle s'arrêta devant l'église luthérienne de St. John.

De la lumière filtrait au travers des grands vitraux et colorait la pluie en rouge, bleu, vert et jaune, formant comme un halo arc-en-ciel.

Un presbytère de style victorien était attenant à l'église, avec un étage et des fenêtres en rotonde au

207

premier. La pelouse bien entretenue était éclairée par un lampadaire de fer forgé et deux lanternes assorties de chaque côté du perron, sur les piliers de la véranda. Une plaque, sur le portillon de la clôture, indiquait : Rév. POTTER B. KINFIELD.

Elle demeura devant la maison du révérend Kinfield pendant deux minutes, trop lasse pour aller plus loin mais trop fière pour s'effondrer dans la rue.

Sans espoir, elle s'engagea dans l'allée et gravit les marches du perron. D'habitude, on pouvait compter sur les pasteurs. D'habitude, on pouvait se confier à eux. Etait-ce valable aussi pour ceux de Willawauk ? Elle en doutait.

Elle sonna.

Si les lumières extérieures brillaient, l'intérieur de la maison était plongé dans l'obscurité. Cela ne signifiait pas nécessairement que le pasteur était absent. Peut-être s'était-il couché. Elle ignorait l'heure; il devait être entre onze heures et minuit.

Elle sonna encore.

Et encore.

Aucune lumière. Aucune réponse.

Susan avait imaginé un salon confortable aux fauteuils moelleux; un pyjama et une robe de chambre empruntés à la femme du pasteur; peut-être des tartines et du chocolat chaud; de la sympathie et de l'indignation suscitées par son récit; des promesses de protection et d'assistance; un lit avec des draps propres et des couvertures de laine.

Mais personne ne répondait, et ces images s'estompèrent. Elle ne pouvait se résoudre à oublier son rêve et ne s'éloignait pas. Elle demeurait sous la véranda, au bord des larmes. Son désir de trouver un pyjama sec et du chocolat chaud était si puissant qu'il chassait toutes ses autres émotions, y compris la peur d'Ernest Harch, des morts-vivants et des manipulateurs de la Milestone.

Susan essaya d'ouvrir la porte et découvrit qu'elle était fermée à clé.

Elle longea la véranda. Si les trois fenêtres de gauche et la première de droite étaient fermées, ce n'était pas

208

le cas de la seconde. L'humidité avait fait gonfler le bois, mais Susan parvint tout de même à la soulever assez pour pouvoir entrer.

C'était une violation de domicile mais elle était au désespoir, et le révérend Kinfield lui accorderait certainement son pardon dès qu'il connaîtrait les faits. En outre, elle se trouvait à Willawauk, dans l'Oregon, un lieu qui échappait aux règles normales de toute société.

L'intérieur de la demeure était obscur.

Et aussi froid que la nuit régnant à l'extérieur.

Susan suivit le mur à tâtons, passa devant la première fenêtre, atteignit la porte. Elle trouva l'interrupteur et donna de la lumière.

Elle cilla, à cause de la brusque clarté mais aussi de sa surprise. L'intérieur du presbytère était bien différent de ce qu'elle avait imaginé. Elle ne découvrait pas une confortable demeure victorienne mais un entrepôt; il était composé d'une seule pièce aussi vaste qu'une grange, haute de deux étages, sans la moindre cloison de séparation et avec un sol de ciment nu. Des personnages de papier mâché grandeur nature issus d'une scène de nativité, ainsi qu'un traîneau et des rennes étaient suspendus au plafond par des cordes. La pièce elle-même était encombrée de centaines de cartons empilés les uns sur les autres. Il y avait également des coffres, d'énormes caisses de bois et une vingtaine de grandes armoires métalliques formant des rangées régulières qui occupaient toute la longueur du bâtiment.

Stupéfaite, Susan s'avança entre les piles. Dans les deux premières armoires, des aubes noires protégées par des housses de plastique étaient suspendues sur des cintres. Dans la troisième, étaient conservés des costumes de Père Noël et de premiers colons, apparemment utilisés pour célébrer la fête du Thanksgiving. Le premier carton contenait des opuscules religieux, des bibles et des recueils de cantiques.

La présence de tous ces accessoires et des personnages de carton-pâte suspendus au plafond n'avait rien de surprenant dans un presbytère, même si celui-ci n'était qu'un décor.

Ce qu'elle découvrit ensuite lui sembla par contre bien plus étrange.

Pas moins de deux ou trois mille cartons et caisses étaient bourrés de vêtements. Les cent premiers portaient l'étiquette suivante :

MODE ÉTATS-UNIS
VÊTEMENTS FÉMININS
1960-1964
(PÉRIODE KENNEDY)

Un plus petit nombre étaient rangés sous la rubrique :

MODE ÉTATS-UNIS
VÊTEMENTS MASCULINS
1960-1964
(PÉRIODE KENNEDY)

Elle nota encore des boîtes de vêtements d'enfants de la fin des années soixante, et d'autres où étaient entassés des effets disparates.

MODE ÉTATS-UNIS
DIVERS ACCOUTREMENTS MASCULINS
SOUS-CULTURE HIPPIE

Elle ne se trouvait pas en présence de vêtements ayant fait l'objet d'une collecte pour une mission lointaine. Tout indiquait qu'il s'agissait d'un programme de stockage à long terme.

Mais ce dernier n'était pas motivé par un désir de conservation historique. Susan n'était pas en présence d'échantillons des diverses modes vestimentaires américaines. Il s'agissait de garde-robes complètes, de quoi vêtir des centaines de personnes dans n'importe quel style en vogue au cours des vingt dernières années.

Les habitants de Willawauk étaient-ils donc si pingres qu'ils s'étaient organisés pour stocker leurs vieux vêtements, dans l'éventualité où une mode rétro leur permettrait de les porter à nouveau ? Etait-ce une sage tentative pour circonvenir la tyrannie coûteuse des couturiers ? Pourtant dans la société de consommation américaine (où presque tout était destiné à être jeté) qui aurait pu concevoir et mettre en œuvre un tel programme ?

Des robots, peut-être ?

Des fourmis.

Susan continua d'inspecter les piles, de plus en plus perplexe. Elle trouva une vingtaine de cartons sur lesquels était écrit : MARDI GRAS. Elle en ouvrit un et trouva des masques de lutins, de sorcières, de gnomes, de vampires, de monstres de Frankenstein, de loups-garous, d'extraterrestres et de spectres. Une autre boîte contenait des guirlandes de papier multicolores, des lanternes, des silhouettes de chats et de fantômes en papier. Il y avait de quoi décorer toute la ville et déguiser tous ses enfants.

Elle poursuivit sa visite des lieux, en lisant les étiquettes :

SAINT-VALENTIN — NOËL — RÉVEILLON DE LA SAINT-SYLVESTRE — INDEPENDENCE DAY — ANNIVERSAIRE — ANNIVERSAIRE DE MARIAGE — BAR-MITSVA — ENTERREMENT VIE DE GARÇON.

Susan interrompit enfin son examen des cartons et des armoires. Elle avait compris qu'elle n'apprendrait rien. Les mystères de Willawauk allaient s'épaississant. Elle était de plus en plus étonnée, désorientée et abattue. Elle se sentait comme si elle avait suivi un lapin blanc qui l'aurait conduite dans un Pays des Merveilles tout rempli de menaces. Pourquoi avait-on entreposé des décorations pour la fête juive de la Bar-mitsva dans une église luthérienne ? Et n'était-il pas étrange qu'on pût y trouver de quoi célébrer l'enterrement d'une vie de garçon ? Films porno, posters de femmes nues, serviettes en papier décorées de dessins obscènes — de telles choses entreposées dans un presbytère ? Mais était-ce bien un presbytère ? Le révérend Potter B. Kinfield existait-il, ou n'était-il qu'un nom gravé sur une plaque ? Willawauk pouvait-il être habité par quatre mille avares qui n'auraient jamais *rien* jeté ? Que se passait-il, ici ? A première vue, tout lui avait paru normal mais, étudiée de plus près, chaque chose s'était avérée d'une étrangeté totale.

Combien de ces maisons n'étaient pas ce qu'elles paraissaient être ?

Elle regagna la porte d'entrée en se demandant si elle avait une seule chance de sortir de ce piège pour retrouver le monde normal.

Rien n'était moins sûr.

Une fois hors du hangar-presbytère, elle pouvait à peine tenir debout. Ses vêtements trempés pesaient des tonnes. La pluie la fouettait violemment et les rafales de vent menaçaient de la déséquilibrer.

Elle trouverait peut-être un peu de chaleur dans l'église. Au moins y serait-elle à l'abri de la pluie. A condition que cette église ne fût pas elle aussi une simple façade, un décor d'Hollywood.

Elle était éclairée. C'était peut-être bon signe.

Susan gravit les quelques marches de brique qui montaient aux lourdes portes de chêne sculpté. Elle espérait qu'elles ne seraient pas verrouillées.

Les portes d'une église étaient censées rester ouvertes vingt-quatre heures sur vingt-quatre, pour permettre aux fidèles de trouver le réconfort à tout instant. Mais on ne pouvait rien garantir de tel à Willawauk.

Il y avait quatre portes et elle essaya la première à droite. Elle n'était pas fermée à clé.

Susan poussait le battant et allait entrer dans l'église lorsqu'elle entendit le bruit d'un moteur, le crissement de pneus sur l'asphalte mouillé et le gémissement des freins.

Elle pivota et regarda en bas des marches.

Une ambulance venait de stopper devant l'église. Trois mots étaient peints sur le flanc du véhicule : WILLAWAUK COUNTY HOSPITAL.

— Cet hôpital n'existe pas, marmonna Susan, surprise de découvrir des vestiges de colère au sein de son abattement résigné.

Jellicoe et Parker en descendirent. Ils ne portaient plus d'uniformes de shérifs adjoints mais des imperméables, des chapeaux de pluie blancs et des bottes noires. Ils faisaient à nouveau leur numéro d'aidessoignants.

Susan n'avait pas l'intention de fuir, elle était à bout de forces.

En attendant qu'ils gravissent les marches et viennent s'emparer d'elle, elle pénétra dans le bâtiment.

Et il faisait chaud, dans cette église. C'était merveilleux.

Elle s'engagea dans l'allée centrale, remonta vers l'autel.

C'était une belle église, avec beaucoup de bois, de marbre et de cuivre. Lorsque la lumière du jour devait pénétrer par les vitraux et nimber chaque chose de ses vives couleurs, elle devait être magnifique.

Elle entendit Carl Jellicoe et Herbert Parker entrer à leur tour.

Ses jambes douloureuses et tremblantes la soutinrent jusqu'aux bancs du premier rang mais elle comprit qu'elle s'effondrerait si elle faisait un seul pas de plus.

— Hé, petite garce, cria Jellicoe depuis le fond de l'église.

Elle refusa de tourner la tête, d'admettre qu'elle avait peur d'eux, et s'assit sur un banc.

Elle garda les yeux rivés sur la grande croix de cuivre dressée derrière l'autel. Elle regrettait de ne pas avoir la foi, de ne pouvoir se sentir réconfortée par l'image du Christ.

Sur la gauche du chœur, la porte de la sacristie s'ouvrit. Deux hommes en sortirent.

Ernest Harch.

Randy Lee Quince.

Elle comprenait maintenant qu'elle avait été totalement manipulée. Elle n'avait pas décidé de s'enfuir. L'idée était d'eux, c'était un élément de leur jeu. Ils avaient joué avec elle comme un chat joue avec la souris qu'il vient de capturer : lui laissant croire qu'elle pourrait lui échapper, la laissant faire quelques pas pour la saisir à nouveau, brutalement. Le mezuzah n'était pas tombé accidentellement dans le cabinet de toilette. Il y avait été laissé pour l'inciter à fuir, pour leur permettre de s'amuser un peu.

Elle n'avait jamais eu la moindre chance de leur échapper.

Harch et Quince descendaient les marches du chœur.

Jellicoe et Parker apparurent dans l'allée, à son côté. Ils souriaient.

Elle était amorphe, incapable de lever un bras pour se protéger et encore moins pour les frapper.

— Tu t'es moins amusée que nous, déclara Jellicoe.

Parker eut un rire.

Susan ne répondit rien. Elle regardait droit devant elle.

Harch et Quince ouvrirent la porte du cancel et s'avancèrent vers Susan. Ils abaissèrent le regard sur elle. Tous souriaient.

Elle garda ses yeux rivés sur la croix, entre Quince et Harch. Elle ne voulait pas leur offrir à nouveau la satisfaction de la voir trembler de peur.

Harch se pencha devant elle, l'obligeant à le regarder.

— Pauvre gosse. La pauvre petite garce est fatiguée? Aurait-elle perdu sa langue?

Susan voulait fermer les yeux et retrouver les ténèbres derrière ses paupières. Elle désirait se recroqueviller tout au fond de son être et y demeurer sans rien voir, très longtemps.

Mais elle lutta contre ce besoin. Elle soutint le regard de glace de Harch jusqu'à en avoir la nausée.

— J'espère que non, dit Quince. Je compte la lui trancher sous peu.

Jellicoe ricana et Harch s'adressa à Susan.

— Tu aimerais savoir ce qui se passe?

Elle s'abstint de répondre.

— Veux-tu connaître la vérité, Susan?

Elle le foudroya du regard.

— Oh, tu es courageuse. Une femme forte et silencieuse. Comme je les *aime.*

Les trois compagnons eurent un rire.

— Je suis sûr que tu veux savoir ce qui se passe, Susan. Tu en *meurs* d'envie.

214

— Elle en est déjà morte, corrigea Jellicoe en souriant.

Les autres rirent à leur tour, mais elle ne put en comprendre la raison.

— L'accident de voiture, précisa Harch. Deux miles au sud de la bifurcation pour le Viewtop Inn. Il a réellement eu lieu.

Elle dut prendre sur elle-même pour ne rien lui répondre.

— Ta voiture a franchi un talus et heurté deux gros arbres. Nous n'avons pas menti à ce sujet. Evidemment, tout le reste est faux.

— Nous sommes tous des menteurs invétérés, intervint Jellicoe en ricanant.

— Tu n'as pas passé trois semaines dans le coma et l'hôpital n'existe pas. Tout était mensonges, tromperies. Un petit jeu adroit, pour pouvoir nous amuser avec toi.

Elle attendit, sans cesser de soutenir son regard haineux.

— Tu n'as pas pu rester dans le coma, pour la simple raison que tu es morte sur le coup.

Oh, non, pensa-t-elle. Qu'est-ce qu'ils vont encore inventer ?

— Sur le coup, répéta Parker.

— Le cerveau broyé, ajouta Jellicoe.

— Pas une simple blessure au front, précisa Quince.

— Tu es morte, Susan, dit Harch.

— Tu es parmi nous, fit Jellicoe.

Non, non, non, pensa-t-elle. C'est de la folie.

— Tu es en enfer.

— Avec nous.

— Et nous avons été désignés pour t'accueillir.

— Une mission que nous avons acceptée avec plaisir...

— Beaucoup de plaisir...

Non !

— Nous n'aurions jamais osé espérer que tu finirais ici.

— Pas une chic fille comme toi.

— Tu devais avoir des vices cachés.

— Nous sommes vraiment heureux que tu ne sois pas allée au paradis.

Tandis que ses compagnons se donnaient la réplique, Harch se contentait de la fixer et son regard glacial la gelait jusqu'au tréfonds.

— Nous allons fêter ça.

— Eternellement.

— Tous les cinq...

— Entre vieux amis.

Susan ferma les yeux. Elle savait que ce n'était pas vrai, que cela ne pouvait être vrai. L'enfer n'existait pas. Ni l'enfer ni le paradis. Elle n'avait jamais cru à ces choses-là.

Mais les incroyants n'étaient-ils pas censés aller en enfer?

— On ne va pas attendre plus longtemps pour s'amuser avec elle?

— C'est d'accord, approuva Quince.

Elle rouvrit les yeux.

Jellicoe baissait déjà la fermeture Eclair de son pantalon.

— Non, attendons la nuit prochaine, intervint Harch. Pour le septième anniversaire de ma mort. Je tiens à le célébrer dignement.

Jellicoe hésita, la braguette à moitié ouverte.

— Et il faut que tout se passe à l'endroit prévu, intervint Parker. Pas ici.

— Parfaitement, fit Harch.

Par pitié, mon Dieu, pensa Susan. Faites que je trouve la sortie de ce maudit terrier ou que je m'endorme à jamais.

— Emmenons-la, ajouta Harch.

Il se redressa, se pencha, saisit le pull-over de Susan et la releva.

— Il y a longtemps que j'attends ce moment.

Elle tenta de se dégager.

Il la gifla.

Sa vision se brouilla et elle s'affaissa. D'autres mains la saisirent.

Ils l'emportèrent hors de l'église.

Dans l'ambulance, ils la sanglèrent et Harch prépara une seringue hypodermique.

Elle parvint à sortir de sa léthargie le temps de dire :

— Si nous sommes en enfer, pourquoi me faites-vous une piqûre ? Il serait plus simple de me jeter un sort.

— C'est beaucoup plus amusant comme ça, expliqua Harch en souriant.

Et il planta avec sadisme l'aiguille dans son bras.

La douleur la fit crier.

Puis elle sombra dans le sommeil.

17

Une lumière vacillante.

Des ombres qui dansaient.

Un plafond haut et noyé dans l'obscurité.

Susan était couchée dans un lit d'hôpital.

Là où Harch avait planté l'aiguille, son bras était douloureux. Son corps entier était douloureux.

Elle n'était pas dans sa chambre. Cette pièce était plus froide, trop froide pour être une chambre d'hôpital. Son corps avait chaud sous les couvertures, mais ses épaules, son cou et son visage étaient glacés. Elle était dans un endroit humide où il régnait une odeur de moisi.

Il lui paraissait familier.

Sa vision était trouble. Elle ferma à demi les paupières mais ne put toujours rien voir avec précision.

Elle eut des vertiges, comme si elle se trouvait sur un manège qui tournait de plus en plus vite, puis s'endormit à nouveau.

★

Du temps s'était écoulé.

Avant d'ouvrir les yeux, elle demeura un moment

immobile pour écouter la pluie. C'était un véritable déluge.

Dès qu'elle écarta les paupières, Susan eut de nouveaux vertiges. Elle voyait une lumière vacillante et des ombres mouvantes, comme la première fois, mais elle comprenait à présent qu'il y avait des bougies dont les flammes étaient agitées par des courants d'air.

Elle tourna la tête et vit les chandelles : dix cylindres de cire posés sur des rochers.

Non !

Elle tourna la tête de l'autre côté, vers le point d'origine du grondement, mais ne put rien voir. La clarté vacillante des bougies perçait les ténèbres sur cinq mètres à peine. La chute d'eau se trouvait au-delà, à vingt-cinq ou trente mètres, mais elle était bien là, dans le fond le plus obscur de la grotte.

Elle était à l'intérieur de l'Antre du tonnerre.

Non, non, non, se dit-elle. C'est un rêve. Ou je délire.

Elle ferma les yeux. Si elle ne voyait plus la clarté des chandelles, elle sentait l'odeur de moisi de la caverne et entendait les grondements de la cascade souterraine.

Elle se trouvait à trois milliers de miles de l'Antre du tonnerre, bon sang. Elle était dans l'Oregon et non pas en Pennsylvanie.

La folie.

Ou l'enfer.

Quelqu'un retira brusquement ses couvertures et elle poussa un petit cri tout en ouvrant les yeux.

C'était Ernest Harch. Il posa une main sur sa jambe et elle prit conscience qu'elle était nue. Il fit remonter sa main le long de sa cuisse, caressa sa toison pubienne, son ventre, ses seins.

Elle se figea.

— Non, pas encore, dit-il en souriant. Pas encore, ma jolie. Pas encore. Ce soir. A l'heure exacte où je suis mort en prison. A la minute précise où ce sale Nègre m'a tranché la gorge, voilà quand je t'égorgerai, quand mon sexe et la lame pénétreront dans ta chair. Cette nuit, pas maintenant.

Elle ne sentit plus sa main sur sa poitrine. Il leva

l'autre et elle vit qu'il tenait une seringue hypodermique.

Susan tenta de s'asseoir.

Jellicoe apparut dans son champ de vision et la repoussa.

— Tu dois te reposer, lui dit Harch. Pour être en forme ce soir.

Il prit à nouveau un plaisir sadique à la faire souffrir.

— Carl, dit-il en achevant l'injection, tu sais ce que je vais apprécier le plus en la tuant?

— Explique-toi.

— Ce ne sera pas la fin mais le commencement. Je pourrai la tuer encore et encore.

Jellicoe ricana.

— Tel est ton destin, ajouta Harch. Voilà comment tu vas passer l'éternité. Nous allons te violer et te tuer chaque nuit. D'une façon différente chaque fois. Il existe des milliers de façons de mourir et on ne t'en épargnera pas une seule.

La folie.

Le narcotique la fit sombrer cette fois encore dans le sommeil.

Sous l'eau. Elle se trouvait sous l'eau et se noyait.

Elle ouvrit les yeux, tenta de respirer et comprit que ce n'était que le grondement de la chute d'eau.

Elle était toujours dans le lit et chercha à s'asseoir.

Les couvertures glissèrent. Elle n'eut pas la force de rester assise et s'effondra à nouveau sur les oreillers, le cœur battant.

Elle ferma les yeux.

Seulement une minute.

Ou peut-être une heure.

Impossible de le savoir avec précision.

— *Susan...*

Elle ouvrit les yeux et fut emplie de terreur. Sa vision était troublée mais elle discernait un visage dans la clarté vacillante.

— *Susan...*

Il se rapprocha et elle le vit plus nettement. C'était Jerry. Elle reconnut sa tête décomposée dont les lèvres étaient encore plus enflées qu'auparavant, prêtes à éclater sous la pression du pus.

— *Susan...*

Elle hurla. Et plus elle hurlait, plus le lit tournoyait. Elle se sentit projetée dans les ténèbres.

★

Et elle s'éveilla à nouveau.

Les effets de la drogue s'étaient dissipés. Elle gardait les yeux clos, n'osant les ouvrir.

Elle regrettait de s'être éveillée. Elle aurait voulu être morte.

— Susan?

Elle demeura totalement immobile.

Harch releva une de ses paupières et elle tressaillit de surprise.

— N'essaye pas de me rouler. Je sais que tu ne dors pas.

Elle se sentait engourdie. Terrorisée mais engourdie.

— L'heure approche, dit-il. Tu le sais? Dans une heure nous commencerons notre petite fête, et dans trois heures je te trancherai la gorge. Tu vois, nous aurons largement le temps de nous amuser. Tu ne voudrais pas décevoir les autres, pas vrai? Une fille aussi sexy que toi devrait les épuiser rapidement.

Rien de tout cela ne lui semblait réel. C'était trop dément, trop absurde, trop flou pour exister véritablement. Un lit d'hôpital dans une grotte? Ridicule. La terreur, la violence, la menace qui pesait sur elle, la brutalité et la méchanceté de Harch... tout revêtait les caractéristiques des éléments d'un cauchemar.

Cependant, la douleur qui s'élevait du point où il avait planté les aiguilles ne semblait pas imaginaire.

Harch écarta les couvertures, découvrant son corps nu.

— Ordure, fit-elle d'une voix à peine audible.

— Un simple avant-goût. Dis, est-ce que tu n'attends

pas ce moment avec autant d'impatience que moi ? Hum ?

Elle ferma les yeux, cherchant l'oubli et...

— Harch !

... elle entendit McGee crier le nom de son tortionnaire.

Elle ouvrit les yeux et vit Harch se détourner, visiblement surpris.

— Que faites-vous ici ?

Trop faible pour s'asseoir, Susan releva la tête et vit Jeff McGee. Il se trouvait à un mètre du pied du lit. Les flammes vacillantes des bougies le baignaient d'ombres dansantes. Et il braquait un pistolet sur Harch.

— Qu'est-ce que vous... commença ce dernier.

McGee tira. Atteint en plein visage, Harch bascula en arrière et disparut du champ de vision de Susan. Il tomba sur le sol avec un bruit mat.

Il n'y avait pas eu de détonation, seulement un murmure, et Susan comprit que le pistolet était muni d'un silencieux.

Le sifflement de la balle, la vision du visage de Harch qui explosait, le bruit de sa chute : rien de tout cela ne possédait la violence surréaliste et outrée à laquelle elle avait été confrontée durant ces derniers jours. Cette mort froide, dure, rapide, n'avait rien d'onirique.

McGee contourna le lit.

Susan cilla en regardant l'arme. Elle était également déconcertée par l'étrange tournure prise par les événements. Elle se sentait tituber au bord de l'abîme.

Suis-je la suivante ? pensa-t-elle.

Il fit disparaître le pistolet dans une poche de son manteau et posa sur le lit le sac qu'il tenait dans son autre main. Non pas un sac, mais un oreiller.

— Il nous faut sortir d'ici, dit-il.

Il sortit des vêtements de l'oreiller. Ses vêtements à elle : lingerie, pantalon noir, pull blanc, mocassins...

Il restait un étrange objet arrondi au fond du sac improvisé et elle le fixa avec une appréhension croissante. La réalité s'estompa et l'impression de vivre un cauchemar l'envahit. Elle eut la certitude qu'il s'agissait de la tête tranchée de Jerry Stein.

— Non, s'exclama-t-elle. Non !

Il sortit le dernier objet. Il s'agissait simplement de sa veste de cuir roulée en boule.

Mais elle n'en fut pas soulagée pour autant. Elle se sentait dériver sans parvenir à s'accrocher à la réalité.

— Non, répéta-t-elle. Je ne peux plus le supporter. Finissons-en tout de suite.

McGee l'observa un instant puis parut comprendre le fond de sa pensée.

— Vous croyez que c'est le début d'une nouvelle série de cauchemars ?

— Je suis épuisée.

— Tout est fini au contraire.

— Je ne souhaite qu'une chose : mourir.

— Votre fatigue est due à la drogue qu'ils vous ont injectée. Ça va aller mieux, vous verrez.

— Laissez-moi.

Elle laissa doucement aller sa tête sur l'oreiller.

Peu lui importait d'être nue devant lui. Elle ne chercha pas à ramener les couvertures sur son corps. En outre, quel sens pouvait avoir la pudeur après ce qu'elle avait déjà subi ?

Elle avait froid. C'était également sans importance.

— Je ne m'attends pas à ce que vous puissiez comprendre ce qui se passe, mais faites-moi confiance.

— Je vous ai fait confiance, murmura-t-elle.

— Et me voici.

— Oui, et vous voici.

— Je suis venu vous sauver.

— Me sauver de quoi ?

— De l'enfer. N'est-ce pas leur dernière trouvaille ? L'enfer. C'est d'ailleurs le nom qu'a reçu ce programme.

— Programme ?

Il soupira et secoua la tête.

— Nous n'avons pas le temps. Il faut me faire confiance.

— Allez-vous-en.

Il passa son bras derrière ses épaules et la releva. Puis il saisit le sweater blanc et tenta de le lui passer.

— Non, dit-elle, en tentant de résister.

— Seigneur. Alors, écoutez!

Il sortit une lampe de sa poche, l'alluma et s'éloigna dans les ténèbres. Les grondements de la chute d'eau vers laquelle il se dirigeait couvrirent bientôt les bruits de ses pas.

Elle espéra qu'il la laisserait peut-être tranquille ou qu'il l'achèverait.

Elle ferma les yeux.

Le grondement de la chute d'eau cessa.

L'Antre du tonnerre était devenu l'antre du silence.

Elle rouvrit les yeux et crut un instant qu'elle était devenue sourde.

— Et voilà. Une simple bande magnétique, lui dit McGee en revenant vers elle. Un enregistrement quadriphonique.

Il atteignit le cercle de clarté des bougies et éteignit sa lampe.

— Et cette grotte? Des rochers de papier mâché. Un décor, installé au centre du gymnase du collège, pour que vous ayez une sensation d'espace au-delà du cercle de clarté. Je pourrais faire la lumière, pour vous le prouver, mais je craindrais d'attirer l'attention. Bien que les fenêtres aient été condamnées, quelqu'un pourrait le remarquer. Quant à l'odeur de moisi, elle est en boîte. Une magnifique réussite de nos chimistes, non?

— Et Willawauk?

— Je vous expliquerai tout cela dans la voiture. Le temps presse.

Elle hésita, prise de vertiges.

— Si vous ne me faites pas confiance, vous ne l'apprendrez jamais.

Elle libéra lentement sa respiration.

— Entendu.

— Je savais que vous aviez du cran, dit-il en souriant.

— Mais je n'ai plus de forces.

— Je sais.

Elle le laissa la vêtir. Elle retrouva une impression d'enfance lorsqu'il lui enfila le sweater, remonta son slip et son pantalon, et glissa ses chaussures à ses pieds.

— Je ne pense pas pouvoir marcher.

— Pouvez-vous au moins tenir la lampe?

— Je crois.

Il la souleva.

— Vous êtes légère comme une plume. Enfin, une grosse plume. Tenez-vous à mon cou de votre bras libre.

Il l'emporta vers les portes de la fausse caverne. Le rayon de la petite lampe éclairait le sol de bois poli et ils passèrent sous un panier de basket-ball. Puis ils atteignirent un escalier en ciment et un vestiaire.

La pièce était allumée et trois cadavres gisaient sur le sol. Elle reconnut ceux de Jellicoe et de Parker. La moitié du visage du premier était en bouillie et Parker avait deux trous dans la poitrine. Quince, quant à lui, était effondré sur un banc et du sang dégouttait de son cou.

McGee haletait mais il la porta tout au long de deux rangées de grands placards, traversa des douches, poussa une porte entrebâillée et entra dans une pièce bien éclairée.

Un autre cadavre les attendait.

— Qui est-ce?

— Un garde, répondit McGee.

Ils pénétrèrent dans la salle suivante et gagnèrent des portes métalliques près desquelles gisait un autre corps.

— Eteignez la lampe, ordonna McGee.

Elle obéit et il poussa la barre d'ouverture. Ils se retrouvèrent à l'extérieur.

Deux voitures étaient garées dans le parking du collège. A présent à bout de souffle, McGee la porta vers une Chevrolet bleue et la posa sur le sol. Elle s'appuya au véhicule pendant qu'il ouvrait la portière, ses jambes étaient trop faibles pour la soutenir.

Ils traversèrent Willawauk en suivant la rue principale qui se changea bientôt en une route de campagne. Ils ne dirent pas un seul mot avant d'avoir laissé loin derrière eux les dernières lumières de la ville.

Recroquevillée sur le siège du passager, Susan adressa un regard à McGee. Son visage était rendu étrange par la clarté verdâtre du tableau de bord. Etrange... mais pas menaçant.

Mais elle ne pouvait s'empêcher de se méfier de cet homme.

— Racontez-moi.

— Je ne sais par où commencer, dit-il.

— Par n'importe quoi, mais parlez, je vous en prie !

— La Milestone Corporation.

— Là-bas, sur la colline ?

— Non, non. Cette pancarte que vous avez vue en fuyant à bord de la Pontiac avait été placée là pour augmenter votre confusion.

— Alors, il s'agit vraiment d'un hôpital ?

— Un hôpital... et bien d'autres choses. La véritable Milestone Corporation se trouve à Newport Beach.

— Et je travaille pour elle ?

— Oh, oui. Même si ce n'est pas Phil Gomez que vous avez eu au bout du fil mais une personne de Willawauk qui se faisait passer pour lui.

— Quelles étaient mes activités à la Milestone ?

— La recherche. Mais pas pour le compte de l'industrie privée. La Milestone est, en fait, un centre de recherche militaire directement placé sous l'autorité du ministère de la Défense et du Président. Le Congrès ignore son existence. On y trouve plus d'une vingtaine des meilleurs savants du pays, ainsi que la banque de données et les ordinateurs les plus performants du monde. Chaque chercheur est un des meilleurs spécialistes en son domaine et toutes les sciences sont représentées.

— Est-ce que j'étais l'un d'eux ? Si oui je ne m'en souviens pas.

— Vous êtes un des deux physiciens les plus réputés.

— Je ne m'en souviens pas.

— Je le sais.

Alors qu'ils traversaient les forêts obscures, McGee lui révéla tout ce qu'il savait sur la Milestone — ou tout au moins tout ce qu'il déclarait savoir.

Selon lui, ce centre de recherche était chargé de trouver l'arme absolue — un rayon désintégrant, une nouvelle sorte de laser, une arme biologique, *n'importe quoi* — qui rendrait d'une manière ou d'une autre l'arsenal nucléaire non seulement démodé, mais inutile. Si le gouvernement américain pensait que l'Union soviétique cherchait à obtenir la supériorité sur le plan nucléaire dans l'intention de lancer une attaque dès que sa victoire serait assurée, il n'avait pu faire admettre à l'opinion publique que le réarmement était une nécessité absolue. C'était la raison pour laquelle, au milieu des années soixante-dix, le Président et le ministre de la Défense avaient espéré un miracle : la découverte d'une arme qui rendrait l'arsenal soviétique inutilisable et ferait disparaître le spectre d'un holocauste atomique. Si le gouvernement ne pouvait lancer un programme de réarmement nucléaire coûtant des milliards de dollars, rien ne l'empêchait de créer un centre de recherche ultrasecret en espérant que l'ingéniosité des chercheurs américains permettrait au pays de se tirer de ce mauvais pas. La Milestone était devenue le meilleur espoir de l'Amérique.

— On effectuait certainement déjà ce type de recherches, dit Susan, il était inutile de mettre sur pied un nouveau programme.

— Les pacifistes appartenant à la communauté scientifique communiquaient des informations sur les recherches effectuées dans le cadre des universités à quiconque désirait se joindre à eux pour dénoncer la machine de guerre du Pentagone, et le Président a décidé de rendre ces travaux secrets afin qu'ils restent la propriété exclusive des Etats-Unis.

» Lorsque les agents du KGB ont finalement appris l'existence de la Milestone, ils ont craint que les USA ne parviennent, ou ne soient déjà parvenus à rendre l'arsenal nucléaire soviétique inutilisable. Ils ont décidé de s'emparer d'un des chercheurs de la Milestone et de le soumettre à un interrogatoire de plusieurs semaines.

» Les chercheurs de la Milestone sont encouragés à s'intéresser aux travaux de leurs collègues, de façon à explorer les zones de chevauchement et bénéficier de la fécondation croisée des idées. *Chacun d'eux sait à quel point en sont les recherches dans tous les domaines.* Ce qui signifie qu'il suffit d'une seule personne pour compromettre tous les projets du Pentagone.

— Et c'est moi que les Russes ont décidé d'enlever, acheva Susan qui commençait à le croire.

— C'est cela. Le KGB a étudié le passé de tous ceux qui travaillaient pour la Milestone et a découvert que vous étiez la cible la plus vulnérable. Vous aviez des doutes sur la moralité de telles recherches, sur l'impact qu'auraient vos travaux sur les générations futures. Vous en aviez parlé à vos collègues et pris un mois de congé pour faire le point, sans parvenir apparemment à une décision.

— Pourquoi n'en ai-je aucun souvenir ? demanda Susan en le fixant avec suspicion.

— Je vous l'expliquerai bientôt. Nous allons être arrêtés.

Ils atteignirent le bas de la colline et aperçurent un barrage après une longue ligne droite.

— Qu'est-ce que c'est ?

— Un poste de contrôle.

— C'est ici que vous allez me livrer à eux, que tout doit recommencer ? demanda-t-elle, ne parvenant toujours pas à croire qu'il était son allié.

— Laissez-moi une chance, d'accord ? Nous sortons d'une zone militaire, il est normal qu'il y ait un contrôle. Faites semblant de dormir.

Il sortit divers documents de sa poche en conduisant d'une seule main.

Elle obéit et étudia le poste de contrôle entre ses paupières mi-closes : deux baraques, une barrière. Puis elle ferma les yeux et ouvrit la bouche pour feindre de dormir profondément.

— Pas un mot... quoi qu'il advienne.

McGee freina, arrêta la voiture et baissa la vitre.

Susan entendit un bruit de bottes.

Le garde parla et McGee lui répondit dans une langue étrangère.

Susan en fut si surprise qu'elle faillit ouvrir les yeux. Il ne lui était pas venu à l'esprit de lui demander pourquoi elle devait feindre de dormir, dès l'instant où ils

227

avaient des laissez-passer. McGee avait craint qu'un garde ne lui adresse la parole. Un mot en anglais, et ils auraient été perdus.

L'attente fut interminable. Enfin, la barrière mécanique se releva et la voiture repartit.

Elle ouvrit les yeux sans oser regarder derrière elle.

— Où sommes-nous ? demanda-t-elle.

— Vous n'avez donc pas reconnu la langue ?

— Si, je le crains.

— Du russe.

Elle resta sans voix, secoua la tête : *non, non.*

— Nous nous trouvons à une trentaine de miles de la mer Noire, notre destination.

— *En Union soviétique ?* Impossible. C'est un nouveau coup monté.

— Non, écoutez-moi.

Elle n'avait d'autre choix que d'obéir, et McGee disait peut-être la vérité. Elle n'en aurait pas mis sa main à couper mais c'était possible.

— Les agents du KGB vous ont enlevée pendant vos vacances dans l'Oregon, dit-il.

— Je n'ai pas eu un accident de voiture ?

— Non. La fable de l'accident permettait d'expliquer votre présence à Willawauk. Vous avez été enlevée en Oregon et transportée en URSS par vol diplomatique.

— Pourquoi n'en ai-je gardé aucun souvenir ?

— Vous êtes restée sous anesthésie pendant tout le vol.

— Je n'étais pas droguée, lorsqu'on m'a enlevée.

— Tous ces souvenirs ont été effacés de votre esprit : drogues et hypnose...

— Lavage de cerveau ?

— Oui, il était indispensable d'éliminer l'enlèvement de votre esprit afin de rendre votre séjour à Willawauk plausible.

Elle avait mille questions à lui poser mais elle se retint, et le laissa poursuivre ses explications à sa manière.

— A Moscou, vous avez séjourné dans une section de la prison de la Lubianka réservée au KGB. Comme les interrogatoires ne donnaient aucun résultat malgré les pressions psychologiques, ils ont durci leurs méthodes. Pas de passage à tabac, mais une torture plus redoutable que la torture physique. Ils ont eu recours à des drogues dangereuses que le KGB emploie couramment pour obtenir des informations d'un prisonnier obstiné, des mixtures qui ne devraient pas être utilisées sur un être humain. Mais dès qu'ils ont tenté d'obtenir des réponses en vous forçant la main, il s'est produit une chose à laquelle ils ne s'attendaient pas. Tous les souvenirs de votre travail à la Milestone se sont effacés, il ne restait qu'un trou béant.

— Qui subsiste toujours.

— Oui. Même droguée, même docile, vous ne pouviez rien leur révéler. Ils se sont obstinés pendant cinq jours avant de comprendre enfin.

McGee se tut et ralentit comme ils approchaient d'un petit village d'une centaine de maisons. L'agglomération ne ressemblait en rien à Willawauk. Elle n'avait pas l'allure américaine et paraissait appartenir à un autre siècle. Les maisons avaient de petites fenêtres; elles étaient très basses et coiffées de toits de pierre, de bois ou de chaume. Tout ici évoquait le Moyen Age.

Après avoir traversé l'agglomération, McGee accéléra à nouveau.

— Vous étiez sur le point de m'expliquer pourquoi j'avais tout oublié de la Milestone, lui rappela-t-elle.

— Oui. Toute personne engagée par la Milestone doit se soumettre à un conditionnement psychologique qui l'empêche de parler de ses activités professionnelles à quiconque, hormis à un collègue. C'est une condition indispensable à l'obtention d'un poste. En outre, un mécanisme psychologique a été comme implanté dans les profondeurs du subconscient de tout employé de la Milestone, et il déclenche un blocage de mémoire immédiat qui empêche tout agent étranger d'obtenir des informations sous la contrainte. Dès qu'on tente d'obtenir des renseignements sur les recherches effectuées à la Milestone au moyen de la torture, de la drogue ou de l'hypnose, tout ce qui se rapporte à ce centre de recherche se trouve immédiatement relégué dans les profondeurs du subconscient.

Elle pouvait à présent comprendre pourquoi elle ne se souvenait même pas de son laboratoire.

— Tous mes souvenirs seraient donc enfouis au fond de mon esprit ?

— Oui. Une fois que vous serez de retour aux Etats-Unis, la Milestone pourra probablement revenir sur ce blocage et vous rendre vos souvenirs. Nous ignorons par quelle méthode car, dans le cas contraire, nous n'aurions pas été contraints de mettre au point le programme Willawauk dans l'espoir de rompre ce blocage par une série de chocs psychologiques brutaux.

Ici, le paysage était moins accidenté et les arbres plus rares. La lune s'était levée et nimbait la contrée d'une clarté spectrale.

Affaissée sur son siège, épuisée et tendue, Susan étudiait le visage de McGee, tentant d'y lire des signes de mensonge, espérant désespérément qu'il ne la préparait pas à un autre choc psychologique brutal.

— La clé d'un blocage de mémoire peut être l'amour, la haine ou la peur. La plus efficace est la peur, dit McGee. C'est l'élément inhibitoire que la Milestone a utilisé dans votre cas : la *peur.* Vous avez peur de révéler quoi que ce soit sur la Milestone, car ils ont utilisé la suggestion hypnotique et des drogues pour vous persuader que vous connaîtriez une fin horrible si vous révéliez quoi que ce soit. Le blocage par la peur est le plus difficile à briser.

— Mais vous avez trouvé un moyen d'y parvenir.

— Pas moi. Le KGB emploie de nombreux spécialistes des techniques de modification du comportement (lavage de cerveau, etc.) et certains estiment qu'un tel blocage peut être détruit si le sujet (vous, en l'occurrence) est confronté à une peur plus grande que celle sur laquelle ledit blocage est basé. Il n'est pas facile de trouver une peur plus grande que celle de la mort. Mais le KGB avait soigneusement épluché votre existence antérieure avant de décider de vous enlever, et ses agents ont trouvé votre point faible dans votre dossier. Ils cherchaient un événement de votre passé qui aurait pu être transformé en cauchemar, en une chose que vous redouteriez plus que votre propre mort.

— L'Antre du tonnerre. Ernest Harch.

— Oui. Après vous avoir étudiée un certain temps, le KGB a estimé que votre goût pour le rationnel dans tous les domaines relevait presque de l'obsession.

— De l'obsession? Oui, c'est sans doute exact.

— Le KGB en a déduit que le meilleur moyen de vous faire craquer consistait à vous plonger dans un monde de cauchemar, où tout devenait graduellement irrationnel : un monde où les morts revenaient à la vie, dans lequel rien ni personne n'était ce qu'il paraissait être. Ils vous ont amenée à Willawauk et ont isolé une aile de l'hôpital de recherche comportementale, la transformant en décor pour leurs représentations macabres. Ils voulaient provoquer votre effondrement mental avec, comme clou du spectacle, ce final dans un Antre du tonnerre factice. Leur programme était plutôt chargé : viols et tortures par quatre morts-vivants.

Susan secoua la tête, hébétée.

— Mais... à quoi cela leur aurait-il servi? Même si le blocage avait été rompu, je n'aurais plus été à même de leur fournir les informations qu'ils voulaient obtenir, après avoir sombré dans la folie.

— Un effondrement de la raison provoqué par une terreur extrême mais limitée dans le temps est la forme de maladie mentale la plus facile à soigner. Sitôt après vous avoir brisée, ils auraient défait le blocage mémoriel en vous promettant de vous délivrer de la terreur en échange de votre coopération. Puis ils auraient immédiatement entrepris de vous rendre votre santé mentale, ou un semblant, afin de pouvoir vous interroger et obtenir des informations fiables.

— Un moment, dit-elle. Trouver ces sosies, écrire le scénario de cette histoire de fous, régler les détails matériels, transformer une aile de l'hôpital... tout cela a dû prendre beaucoup de temps. J'ai bien été enlevée il y a quelques semaines... non?

Comme il ne répondait pas, elle répéta :

— *Non?*

— Vous vous trouvez en Union soviétique depuis plus d'un an.

— Non. Oh, non. Non, c'est impossible.

— Vous êtes restée pendant presque toute cette période dans une cellule de la Lubianka. Mais toute cette période a été effacée avant que vous soyez conduite à Willawauk.

Sa confusion céda la place à la colère.

— *Effacée ?* Et vous me le dites comme ça ! Effacée. Vous parlez de moi comme si j'étais une bande magnétique ! Seigneur, j'ai passé un an dans une prison puante, et ensuite on efface tout et on recommence, en me faisant vivre ce cauchemar avec Harch et les autres...

La rage l'étouffait mais elle savait qu'à présent elle devait le croire.

— Je comprends votre colère, lui dit McGee. Mais ne vous emportez pas contre moi. Je n'y suis pour rien. Je vous ai vue pour la première fois lorsqu'ils vous ont amenée à Willawauk, et ensuite j'ai dû attendre une opportunité pour vous tirer de là.

Un instant plus tard, le rivage de la mer éclairée par la lune apparut devant eux et ils prirent une route moins déserte où ils croisèrent surtout des camions.

— Qui diable êtes-vous ? lui demanda-t-elle enfin. Que venez-vous faire dans cette histoire ?

— Pour le comprendre, il faut d'abord savoir ce qu'est Willawauk.

Elle fut à nouveau assaillie par la confusion et le doute.

— Ils n'ont pas pu construire cette ville en un an. Et ne me dites pas qu'ils ont fait tout ça uniquement pour obtenir des renseignements sur les travaux effectués à la Milestone.

— C'est exact. La construction de Willawauk a commencé au début des années cinquante. Ce devait être le modèle parfait d'une petite ville classique des Etats-Unis, et elle a depuis été constamment modernisée et complétée.

— Mais pourquoi ? Pourquoi une petite ville américaine modèle au cœur de l'URSS ?

— Willawauk est un centre d'entraînement. C'est ici que de futurs agents soviétiques apprennent à penser comme des Américains, à *devenir* des Américains.

McGee fit déboîter la Chevrolet pour doubler un vieux camion au pot d'échappement pétaradant.

— Chaque année, entre trois ou quatre cents enfants de trois et quatre ans sont choisis pour venir à Willawauk. Ils sont pris à leurs parents qui ignorent ce qu'ils deviendront. A leur arrivée à Willawauk, ces gosses reçoivent des parents adoptifs et, dès cet instant, ils suivent des séances d'endoctrinement intensives destinées à faire d'eux des communistes fanatiques. Et croyez-moi, je n'emploie pas le terme de fanatiques à la légère. Comparés à la plupart d'entre eux, les partisans de l'ayatollah Khomeyni feraient penser à des professeurs d'Oxford, modérés et raisonnables. Ils subissent deux heures de bourrage de crâne chaque matin et écoutent des bandes de propagande subliminales à longueur de nuit, pendant qu'ils dorment.

— Ça me fait penser à une armée d'enfants-robots.

— C'est exactement ça. Des enfants-robots, des espions-robots. Mais on leur apprend également à vivre comme des Américains, à penser comme des Américains, et à *être* des Américains... tout au moins en surface. Ils doivent pouvoir passer pour des patriotes bon teint sans jamais révéler qu'ils soutiennent corps et âme la cause communiste. On ne parle que l'américain à Willawauk. Ces enfants ne connaissent pas un mot de russe. Tous les livres sont en anglais, tous les films viennent des Etats-Unis. Les programmes télévisés sont repiqués sur ceux des trois grandes chaînes américaines et des stations indépendantes, puis repassés dans chaque maison de Willawauk grâce à un système en circuit fermé. Ces gosses grandissent dans le même environnement que des Américains. Finalement, après de nombreuses années, lorsque les enfants de Willawauk sont saturés de culture américaine, lorsque l'American Way of Life est profondément enraciné en eux, ils gagnent les Etats-Unis avec de faux papiers impossibles à différencier des vrais. Ils ont entre dix-huit et vingt et un ans. Ils vont à l'université, avec un passé bidon à toute épreuve, trouvent des emplois dans l'industrie, le gouvernement, et occupent pendant dix, quinze, vingt ans ou plus, des positions importantes. Certains ne seront jamais contactés par leurs supérieurs soviétiques, ils auront vécu et seront morts en bons Américains — même si au fond de leur cœur ils savent qu'ils sont de bons Russes. D'autres devront effectuer des actes de sabotage ou de l'espionnage.

— Seigneur, le prix de revient d'un tel programme dépasse l'imagination! Les résultats peuvent-ils compenser tant d'efforts et d'argent?

— C'est en tout cas ce que le gouvernement soviétique semble penser. On trouve des gens originaires de Willawauk dans l'industrie aérospatiale américaine, l'armée, la marine, l'US Air Force : pas plus d'une centaine, bien sûr, mais certains ont obtenu au fil des années des grades élevés. D'autres se sont infiltrés dans les médias, ce qui leur permet de faire de la désinformation. Selon le point de vue soviétique, ce programme se justifie amplement par le fait qu'un sénateur, deux membres du Congrès, un gouverneur d'Etat et une vingtaine d'autres personnages politiques américains influents viennent de Willawauk.

— Mon Dieu!

L'importance du complot lui avait fait oublier sa colère.

— Et il est rare qu'une personne sortie de Willawauk devienne un agent double et serve les Américains. Ces gens sont trop bien conditionnés, trop fanatiques. L'hôpital de Willawauk sert de centre médical pour la ville, mais c'est également un service de recherche sur la modification comportementale et le contrôle de l'esprit. Ses découvertes ont permis de faire des enfants de Willawauk les espions les plus fidèles et dévoués du monde.

— Et vous? Et vous, McGee? Si tel est bien votre nom.

— Je m'appelle Dimitri Nicolnikov et je suis né à Kiev, il y a trente-sept ans. Jeff McGee est le nom que j'ai reçu à Willawauk. A l'époque, ils n'avaient pas encore décidé de conditionner des gosses de trois ou quatre ans et sélectionnaient de jeunes adolescents, qu'ils tentaient de former en quelques années. Je suis en outre un de leurs rares agents qui ont changé de camp, même s'ils l'ignorent encore.

— Ils s'en rendront compte en découvrant les cadavres.

— Nous serons déjà loin.

— Vous paraissez sûr de vous.

— Il le faut. Je n'ose pas penser à notre sort si nous étions repris.

Susan avait à nouveau conscience de la force de caractère peu commune de cet homme, une des raisons pour lesquelles elle en était tombée amoureuse.

Est-ce que je l'aime toujours ? se demanda-t-elle.

Oui.

Non.

Peut-être.

— Quel âge aviez-vous, quand vous êtes venu à Willawauk ?

— Comme je vous l'ai dit, ils n'avaient pas encore jeté leur dévolu sur les petits enfants. J'y suis resté de treize à quinze ans.

— Vous avez donc quitté Willawauk il y a plus de vingt ans. Pourquoi n'êtes-vous pas allé aux Etats-Unis ? Que faisiez-vous, à Willawauk ?

Il n'eut pas le temps de répondre. Devant eux, la circulation ralentissait brusquement.

McGee écrasa la pédale de frein.

— Que se passe-t-il ?

— Le poste de contrôle de Batoum. C'est dans ce port que nous allons prendre un navire pour quitter ce pays.

— A vous entendre, on pourrait croire que c'est aussi simple que de partir en vacances.

— Ce sera peut-être le cas, si la chance reste de notre côté.

Les véhicules avançaient lentement. Chacun d'eux s'arrêtait au poste de contrôle, et le conducteur tendait des documents à un garde en uniforme. Ce dernier était armé d'un pistolet mitrailleur suspendu à son épaule.

Un autre garde ouvrait les portes arrière des camions et vérifiait leur contenu avec une lampe torche.

— Que veulent-ils?

— Je l'ignore. Habituellement, les contrôles sont plus rapides.

— Est-ce qu'ils nous cherchent?

— J'en doute. On ne devrait pas découvrir notre fuite avant minuit, ce qui nous laisse une heure. En outre, si notre départ avait été signalé, ces hommes seraient moins décontractés.

Un autre camion passa. Les véhicules avancèrent. Il ne restait plus que trois camions devant eux.

— Ils espèrent sans doute coincer un type qui fait du marché noir avec des denrées de contrebande, déclara McGee. S'ils nous cherchaient, ils seraient plus nombreux et fouilleraient à fond chaque camion.

— Sommes-nous donc si importants?

— Vous pouvez le croire. Ils tiennent beaucoup à votre personne.

Un autre camion franchit le poste de contrôle.

— S'ils parvenaient à vous débarrasser de ce blocage, les informations qu'ils obtiendraient seraient suffisantes pour faire pencher définitivement la balance Est-Ouest en leur faveur. Vous êtes *très* importante pour eux. Et dès qu'ils auront compris que je les ai doublés, ils montreront la même urgence pour me capturer. Peut-être encore plus car ils voudront savoir combien de leurs agents installés aux USA j'ai signalés à la CIA.

— Combien?

— Tous, répondit-il en souriant.

Ils étaient à la hauteur du garde. McGee abaissa la vitre et tendit des documents. L'homme les regarda pour la forme et les rendit presque aussitôt.

McGee remercia le garde qui reportait déjà son attention sur le camion suivant, et ils repartirent en direction de Batoum. McGee remonta la vitre.

— Marché noir, j'avais raison, dit-il.

Ils atteignaient les faubourgs du petit port, quand Susan lui demanda :

236

— Si vous avez quitté Willawauk à dix-huit ans, pourquoi n'êtes-vous pas allé aux USA ?

— Je m'y suis rendu. C'est là-bas que j'ai obtenu mes diplômes de médecine, avec une spécialisation dans l'étude du comportement. Mais, le temps que j'obtienne un emploi relatif à la défense américaine, je n'étais déjà plus un communiste bon teint. Comme je l'ai déjà dit, ils choisissaient alors de jeunes adolescents et non pas des enfants de trois ou quatre ans. J'avais vécu douze années en Russie lorsque mon endoctrinement a commencé, et je disposais de bonnes bases pour comparer les deux systèmes. J'ai acquis un goût prononcé pour la liberté et je suis allé voir des agents du FBI pour leur parler de moi et de Willawauk. Ils m'ont utilisé pendant deux ans pour transmettre des informations bidon aux Soviétiques, avant de décider que je devais regagner l'URSS en tant qu'agent double. J'ai été « arrêté », puis il y a eu un long procès au cours duquel j'ai refusé de dire un seul mot. Les journalistes m'avaient d'ailleurs baptisé « l'espion muet ».

— Seigneur, je m'en souviens ! Cette histoire a fait beaucoup de bruit.

— On ne s'est pas privé de répéter que j'avais refusé de révéler pour quel pays je travaillais. Tout le monde savait que c'était la Russie, mais j'ai joué le rôle du héros stoïque, ce qui a beaucoup plu au KGB.

— Et ce qu'espérait le FBI.

— Evidemment. Condamné à une très longue peine de prison, je n'y suis resté qu'un mois. On m'a échangé contre un agent américain capturé par les Russes. A Moscou, j'ai été accueilli en héros, parce que je n'avais parlé ni de Willawauk ni du réseau d'agents soviétiques implanté aux USA. Finalement, on m'a envoyé travailler à Willawauk.

— Et depuis, vous transmettez des informations dans l'autre sens.

— Oui, j'ai deux contacts à Batoum. Des pêcheurs qui ont passé des contrats avec le gouvernement, ce qui leur permet de posséder leur propre bateau. Ils transmettent mes messages à des pêcheurs turcs qu'ils retrouvent au milieu de la mer Noire. C'est ainsi que nous allons passer à bord d'un bateau turc, comme un message. Tout au moins, je l'espère.

★

Les entrées du port étaient gardées. Pour atteindre les bateaux, y compris ceux de pêche, il était nécessaire de franchir un des postes de contrôle des docks réservés aux camions apportant du fret, ainsi qu'aux véhicules militaires et particuliers; à moins qu'on n'empruntât une des portes réservées aux dockers, aux marins et aux hommes arrivant à pied.

La nuit, les quais étaient peu éclairés, hormis les postes de contrôle qui restaient illuminés comme en plein jour. La porte réservée aux piétons était surveillée par deux gardes. Ils étaient plongés dans une conversation animée et aucun d'eux ne semblait avoir envie de quitter la chaleur de son abri pour aller passer l'inspection détaillée des abords. McGee glissa ses faux papiers et ceux de Susan par le guichet. Le plus âgé des deux hommes leur jeta un coup d'œil rapide et les rendit sans même interrompre sa conversation avec son compatriote.

La barrière couronnée de fil de fer barbelé se releva automatiquement lorsqu'un garde pressa un bouton. McGee et Susan pénétrèrent dans le port.

Ils se dirigèrent vers des rangées de bâtiments sombres qui leur dissimulaient les quais.

— Et maintenant? s'enquit Susan.

— Nous allons gagner le quai des pêcheurs et chercher le *Filet d'or*, un chalutier.

— Tout me semble si facile!

— Trop facile.

Il jeta un coup d'œil par-dessus son épaule en direction du poste de garde qu'ils venaient de franchir, l'expression troublée et inquiète.

★

Leonid Golodkin était le capitaine du *Filet d'or*, un chalutier de cent pieds doté d'une vaste chambre froide. C'était un homme rougeaud, aux traits taillés à la hache, au visage dur et hâlé, et aux mains démesurées.

Appelé par un homme d'équipage, il gagna la passerelle et vit McGee et Susan debout dans la clarté jaunâtre d'un réverbère. Golodkin fronça les sourcils et s'adressa en russe à McGee.

Susan ne pouvait les comprendre mais il était évident que le ton du capitaine Golodkin trahissait la peur.

Habituellement, lorsque McGee voulait faire passer des messages aux pêcheurs turcs par son entremise, les documents lui étaient apportés par un homme qui vendait de la vodka au marché noir. McGee et Golodkin ne s'étaient rencontrés que rarement, et jamais auparavant dans le port jusqu'à cette nuit.

Le marin jeta un coup d'œil nerveux sur les quais et Susan crut pendant un instant qu'il refuserait de les prendre à son bord. Mais Golodkin releva enfin une section du bastingage et leur fit signe de gravir rapidement la passerelle. Sa décision prise, il était impatient de les dissimuler à l'intérieur du navire.

Ils traversèrent le pont en direction d'un escalier métallique et descendirent dans une coursive froide et humide.

A l'extrémité de cette coursive, les quartiers du capitaine étaient chauds et brillamment éclairés. Sur le bureau trônait un verre de cognac à demi rempli. Il y avait encore une bibliothèque, un bar et quatre chaises. Un rideau tiré isolait la couchette du reste de la cabine.

Golodkin leur désigna deux chaises, et ils s'assirent.

Puis McGee attira l'attention de Susan sur l'alcool.

— En voulez-vous un verre?

Elle frissonnait, et la simple pensée d'un remontant la réchauffa.

— Volontiers, j'en ai bien besoin.

McGee demanda en russe du cognac à Golodkin; le capitaine n'avait pas eu le temps de répondre quand un bruissement les fit pivoter vers la couchette, dont le rideau s'ouvrit sur le Dr Léon Viteski. Il s'avança dans la cabine, armé d'un pistolet muni d'un silencieux et souriant.

Le choc ébranla Susan. Furieuse d'avoir été trahie et manipulée, elle foudroya McGee du regard.

Mais ce dernier semblait aussi surpris qu'elle. Il fit mine de se lever tout en plongeant la main dans sa poche pour saisir son propre pistolet.

Cependant, Golodkin l'empêcha d'achever son geste et subtilisa son arme.

McGee s'adressa en russe au capitaine, sur un ton accusateur.

— Ne reprochez rien à ce pauvre Leonid, intervint Viteski en anglais. Il n'a pas eu le choix. Veuillez vous rasseoir.

McGee hésita, puis obéit. Il regarda Susan et lut le doute dans ses yeux.

— Je ne savais pas.

Elle aurait voulu pouvoir le croire. Son visage était blême et son regard trahissait sa peur. *Mais Jeff est un excellent acteur*, se rappela-t-elle. Pendant des jours, il lui avait joué une comédie, et il continuait peut-être.

Viteski contourna le bureau pour aller s'asseoir sur le siège du capitaine.

Golodkin avait pris place à côté de la porte.

— Nous avons découvert la vérité sur votre compte il y a deux ans et demi, annonça Viteski à McGee.

Ce dernier rougit violemment et sa gêne semblait authentique.

— Et nous avons presque aussitôt découvert que votre contact était Leonid. Ce brave capitaine a bien vite accepté de travailler pour nous.

— Leonid? demanda McGee.

Golodkin haussa les épaules et lui répondit en russe.

— Leonid n'a pas eu le choix, précisa Viteski. Il devait penser à sa famille. S'il n'appréciait guère ce rôle d'agent double, il savait que nous le tenions. Il nous a été utile et le sera encore pour démasquer d'autres espions.

— Ainsi, les documents que j'ai transmis à Leonid depuis plus de deux ans... commença McGee.

— ... nous ont été immédiatement remis, répondit Viteski. Nous en avons pris connaissance, avant d'y insérer des données erronées destinées à tromper la CIA. Après quoi nous les avons rendus à Leonid qui les a *ensuite* transmis aux Turcs.

— Merde.

Viteski rit et prit le verre d'alcool. Il en but une gorgée.

Susan étudiait les deux hommes. Elle commençait à penser qu'il ne s'agissait pas d'une nouvelle comédie, à croire que McGee avait vraiment eu l'intention de lui faire quitter ce pays et avait été trahi. Ce qui signifiait qu'ils venaient tous deux de perdre leur unique chance de recouvrer la liberté.

— Si vous saviez que j'avais l'intention de faire fuir Susan, pourquoi n'êtes-vous pas intervenus avant que je lui révèle la vérité ? demanda McGee.

Viteski but une autre gorgée de cognac.

— Nous avions compris que le blocage ne pourrait être brisé. Cette femme ne réagissait pas comme prévu. Vous avez pu le constater vous-même.

— J'étais à moitié folle de peur, dit Susan.

Viteski la regarda et hocha la tête.

— Oui. *A moitié*. Et je crois que vous en seriez restée là. Vous n'alliez pas craquer. Vous êtes trop résistante, ma chère. Peut-être auriez-vous sombré dans une semi-catatonie, mais certainement pas dans la folie. C'est pourquoi nous avons décidé de passer à la solution de rechange.

— Quelle solution ? demanda McGee.

Viteski s'adressa en russe à Golodkin qui quitta la cabine.

Puis il sourit et leva à nouveau son verre.

— Que se passe-t-il ? demanda Susan à McGee.

— Je l'ignore.

Il lui tendit sa main et Susan la prit après un instant d'hésitation. Le sourire d'encouragement qu'il lui adressa était peu convaincant. Elle pouvait y lire aussi de la peur.

— Ce cognac est excellent, déclara Viteski. Marché noir, sans aucun doute. On ne peut rien trouver d'aussi bon dans le circuit de distribution officiel... sauf lorsqu'on a accès aux magasins réservés aux pontes du Parti. Il faudra que je demande au capitaine le nom de son fournisseur.

La porte s'ouvrit et Leonid Golodkin entra avec deux autres personnes : Jeffrey McGee.

Et Susan Thorton.

Leurs deux sosies.

Ils étaient vêtus exactement comme eux.

Le sang de Susan se figea lorsqu'elle regarda son double.

La fausse Susan sourit. Leur ressemblance était surnaturelle.

Livide, les yeux hagards, le véritable Jeff McGee s'adressa à Léon Viteski.

— Qu'est-ce que ça signifie ?

— C'est la solution de rechange. Tout est prévu depuis le début. Vous ne pouviez le savoir, évidemment.

La fausse Susan s'adressa à la réelle :

— Je trouve fascinant d'être finalement en face de vous.

— Mais c'est ma voix ! s'exclama Susan.

— Nous étudions des enregistrements de vous depuis près d'un an, répondit le faux McGee avec la voix de l'original.

Viteski sourit aux *Doppelgänger* avec fierté. Puis il s'adressa au véritable McGee.

— Vous serez abattus et jetés par-dessus bord en haute mer. Vos doubles prendront votre place et se rendront aux USA. *Notre* Susan retrouvera son emploi à la Milestone. (Il se tourna vers Susan.) Ma chère, nous aurions gagné du temps si nous étions parvenus à rompre votre conditionnement, mais nous apprendrons malgré tout ce que nous voulons savoir en plaçant votre double à la Milestone. Et, en fin de compte, nous obtiendrons plus de renseignements que vous n'auriez pu en fournir. (Il regarda Jeff.) Quant à votre double, il trouvera sa place dans les services secrets américains, peut-être dans un centre de recherche sur le contrôle comportemental.

— Ça ne marchera jamais, dit McGee. Ils nous ressemblent, et vos chirurgiens esthétiques ont vraiment fait du bon travail. Mais personne ne peut modifier des empreintes digitales.

— Vous oubliez une chose, répondit Viteski. Aux USA, les empreintes des personnes relevant des services de sécurité sont classées dans un ordinateur du ministère de la Défense auquel nous sommes parvenus à avoir accès. Nous n'aurons qu'à effacer la représentation électronique de vos empreintes pour la remplacer par celle de vos doubles. A notre époque où tout est stocké dans des mémoires d'ordinateurs, il n'est plus nécessaire de modifier les véritables empreintes, seulement de changer les données enregistrées.

— Ça devrait marcher en effet, dit Susan.

Elle était obsédée par l'image de son corps jeté par-dessus bord, puis s'enfonçant lentement dans les eaux glaciales de la mer Noire.

— Naturellement, déclara joyeusement Viteski. En fait, nous aurions envoyé vos doubles aux Etats-Unis même si vous aviez craqué et si vous nous aviez révélé tout ce que nous voulions apprendre de vous.

Il vida son verre, se leva et braqua son arme sur eux.

— Capitaine, attachez leurs poignets pendant que je les surveille.

Golodkin avait déjà une corde à la main. Il fit lever McGee et Susan pour exécuter les ordres de l'autre homme.

— Maintenant, enfermez-les en lieu sûr, ajouta Viteski avant de s'adresser aux captifs. Vos jumeaux iront vous rendre visite pour vous interroger sur vos habitudes, apprendre quelques détails qui les aideront à parfaire leur imitation. Je vous conseille de dire la vérité, car nous connaissons déjà les réponses à certaines de leurs questions; si vous mentez, ils sont à même de faire le nécessaire pour vous convaincre qu'il est préférable de coopérer.

Susan regarda le double de McGee. Son sourire était menaçant. S'il ressemblait en tout point à Jeff, son regard était loin de refléter sa compréhension et sa sensibilité. Il semblait parfaitement capable de les torturer pour les soumettre.

Elle frissonna.

— Je vous dis adieu, déclara Viteski. Je vais quitter ce navire avant qu'il ne lève l'ancre. Bon voyage.

Golodkin poussa McGee dans la coursive, alors que Viteski demeurait dans la cabine avec les doubles. Refusant de répondre aux questions de McGee, Leonid Golodkin les fit descendre dans les entrailles du chalutier, jusqu'au pont inférieur qui empestait le poisson.

Il les laissa dans un petit compartiment, au pied de l'escalier : un réduit de quatre mètres de côté. Des rouleaux de cordage et d'aussières étaient empilés sur le sol. Des gaffes étaient accrochées à la paroi. On y trouvait encore quatre assortiments de moufles et des caisses contenant des pièces détachées pour les moteurs.

Golodkin les fit asseoir sur le pont, attacha leurs chevilles, puis s'assura que les liens de leurs poignets étaient bien serrés. En sortant, il éteignit et referma la porte, les laissant dans une obscurité totale.

— J'ai peur, dit Susan.

McGee ne répondit rien.

Elle l'entendait bouger, se tordre, tirer sur quelque chose.

— Jeff ?

Il poussa un grognement et commença à haleter.

— Mais, que faites-vous donc ?

— Chut !

Un instant plus tard, elle sentit des mains se poser sur elle et faillit crier de surprise avant de comprendre qu'il s'agissait de celles de McGee.

Tout en défaisant les nœuds, il se pencha vers son oreille pour murmurer :

— Je ne crois pas qu'on nous écoute mais mieux vaut être prudents. Au lieu de resserrer mes liens, Golodkin les a légèrement détendus.

Ses mains étaient libres et elle se massa les poignets.

— Que peut-il encore faire pour nous ? lui chuchota-t-elle à l'oreille.

— Rien, sans doute. Il a déjà couru un risque énorme. Désormais, nous devrons uniquement compter sur nous-mêmes.

Jeff s'écarta. Il tâtonna un moment dans l'obscurité pour trouver l'interrupteur et donner de la lumière.

Susan comprit aussitôt ses intentions et frissonna.

Comme elle l'avait prévu, il alla prendre deux des gaffes accrochées à la paroi. Leur crochet était acéré comme une lame.

Susan prit l'arme que Jeff lui tendait mais murmura :

— Je ne pourrai jamais.

— Il le faudra pourtant.

— Oh, mon Dieu...

— C'est eux ou nous.

Elle hocha la tête.

— Vous y parviendrez, vous verrez, et avec un peu de chance ce sera facile; ils ne s'y attendent pas. Ils ignorent que Golodkin nous a bouclés dans un réduit plein d'armes.

Elle le regarda pendant qu'il choisissait l'emplacement depuis lequel ils lanceraient leur attaque surprise, puis elle alla se placer au point qu'il lui indiquait.

Il éteignit la lumière.

Elle n'avait jamais connu d'obscurité aussi profonde.

★

McGee entendit un petit bruit et se raidit. Il inclina la tête, tendit l'oreille et comprit bientôt de quoi il s'agissait.

— Un rat, murmura-t-il à Susan.

Elle ne répondit rien.

— Susan ?

— Ça va. Je n'ai pas peur de ces bestioles.

En dépit de leur situation précaire, McGee sourit.

Ils attendirent pendant quelques minutes interminables.

Puis le *Filet d'or* frissonna et les vibrations des moteurs se transmirent au pont. Un peu plus tard, une cloche tinta. Les tremblements de la coque changèrent, alors que les hélices du chalutier commençaient à brasser les vagues.

D'autres longues minutes s'écoulèrent.

Ils avaient quitté le quai depuis au moins un quart d'heure et devaient être sortis du port, lorsqu'ils notèrent enfin un bruit à la porte.

McGee leva sa gaffe.

Le battant pivota vers l'intérieur et de la lumière provenant de la coursive pénétra dans le réduit. Leurs doubles entrèrent, la femme en premier.

McGee se tenait sur la gauche, presque derrière le battant. Il fit un pas en avant et planta la gaffe dans le ventre de son jumeau à l'instant où ce dernier donnait de la lumière. Son sosie s'effondra à ses pieds, trop surpris pour pouvoir hurler et terrassé par la douleur.

La femme était armée. Elle tenait le pistolet doté d'un silencieux que Susan avait vu dans la main de Viteski. Après un bref instant d'hésitation, elle recula d'un pas, visa McGee et tira.

Elle manqua sa cible.

Elle fit feu à nouveau.

McGee sentit la balle érafler sa manche, mais il avait été une seconde fois épargné.

Dans le dos de la fausse Susan, la véritable sortit de derrière une pile de caisses et abattit la seconde gaffe.

Du sang jaillit du cou de son double. Ses yeux s'écarquillèrent et le pistolet lui tomba des mains.

Le cœur de McGee s'emballa. Il savait que cette femme n'était qu'un sosie, mais il fut ébranlé par la vision de la gorge de Susan transpercée par le crochet... de sa bouche d'où coulait un filet de sang...

La fausse Susan tomba à genoux et bascula sur le flanc, les yeux vitreux, la bouche ouverte sur un cri qu'elle ne pousserait jamais.

McGee pivota vers son propre double. Les mains de l'homme, serrées sur son ventre, tentaient de comprimer l'horrible plaie. Son visage était déformé par la

246

souffrance lorsque l'étincelle de la vie disparut brusquement et miséricordieusement de ses yeux.

C'est comme si je m'étais tué moi-même, pensa-t-il en fixant toujours le visage de son double.

Il n'avait jamais aimé tuer, bien qu'il n'eût jamais hésité à le faire chaque fois que cela avait été indispensable.

Susan se détourna des deux cadavres, se réfugia dans un angle du réduit et vomit contre la cloison.

McGee referma la porte.

★

Plus tard, dans la cabine qui avait été réservée à leurs doubles, Susan était assise sur la couchette inférieure et demandait :

— Est-ce que Golodkin a compris qui nous sommes ?

— Oui, répondit McGee qui regardait la mer par le hublot.

— Comment peux-tu en être si sûr ?

— Il ne t'a pas adressé la parole... Il sait que tu ne connais pas le russe.

— Nous allons donc rentrer et fournir des renseignements bidon aux Soviétiques, qui croiront recevoir des rapports de nos sosies.

— A condition que nous puissions découvrir quelle filière ils sont censés utiliser pour transmettre leurs informations.

Ils restèrent silencieux. McGee paraissait fasciné par la mer.

Susan examinait ses mains, en quête de traces de sang qu'elle aurait oublié de nettoyer. Finalement, elle demanda :

— C'est la bouteille de cognac que Golodkin nous a laissée ?

— Oui.

— J'en boirais bien un verre.

— Je vais t'en servir un double.

En mer, l'aube se levait.

Susan s'éveilla, sur le point de hurler.

McGee fit la lumière.

Pendant un instant, elle ne put se souvenir de l'endroit où elle se trouvait. Puis elle y parvint.

Mais elle haletait toujours, incapable d'oublier son rêve, un songe qui était peut-être la réalité.

McGee venait de sauter à bas de la couchette supérieure et s'agenouilla près d'elle.

— Tout va bien, Susan. Tout va bien. Nous sommes en mer, nous avons réussi.

— Non.

— Que veux-tu dire ?

— L'équipage.

— Qu'a-t-il de particulier ?

— Harch, Quince, Jellicoe et Parker. Ils en font partie.

— Non, non, tu as fait un mauvais rêve.

— *Ils sont ici !*

— La comédie est terminée. Tout cela appartient au passé.

— Ils sont à bord, bon Dieu !

Pour la calmer, il dut lui faire arpenter tout le navire, visiter chaque cabine et voir chaque marin. Elle dut enfin se rendre à l'évidence : Harch et les autres n'étaient pas à bord.

Ils prirent leur petit déjeuner dans leur cabine, jugeant inutile de confirmer à Golodkin que Susan ne parlait pas un mot de russe.

— Comment ont-ils pu trouver les sosies de Harch et des autres ? demanda Susan.

— Des agents soviétiques implantés aux Etats-Unis ont découvert leurs photos dans les journaux de l'époque et les archives du collège. En Russie, ils ont cherché des hommes qui leur ressemblaient, même vaguement. La chirurgie esthétique et le maquillage ont fait le reste.

— Les yeux de Harch...
— Lentilles de contact.
— Comme dans un film.
— Quoi ?
— Effets spéciaux.
— Oui, je pense qu'ils valaient bien ceux d'Hollywood.
— Et la tête de Jerry ?
— Une réalisation vraiment hideuse et réaliste, non ?

Elle se mit à trembler sans pouvoir se contrôler, et il la prit dans ses bras.

★

Elle se sentit nettement mieux à bord du bateau turc, après leur transfert.

Leur cabine était plus confortable et la nourriture meilleure.

Ils mangeaient de la viande froide et du fromage, lorsqu'elle lui dit :

— Pour que tu sacrifies ta couverture afin de me faire évader, il fallait que ce soit *très* important pour les USA.

Il hésita avant de répondre :

— Eh bien... ce n'est pas exactement ce qui avait été prévu.

— Quoi ?
— Je n'étais pas censé te faire évader.

Elle ne comprenait pas.

— J'avais reçu l'ordre de te tuer avant qu'ils parviennent à te faire parler. Une bulle d'air dans une seringue... le choc : embolie cérébrale. Quelque chose de ce genre. Un accident banal qui ne m'aurait pas rendu suspect. Je serais resté sur place et les Russes n'auraient rien appris de toi.

Elle était livide et avait perdu tout appétit.

— Pourquoi as-tu désobéi à tes supérieurs ?
— C'est tout simple, je suis tombé amoureux.

Elle le fixa en cillant.

— Au cours des semaines pendant lesquelles nous te préparions, où nous implantions sous hypnose les suggestions destinées à te faire aller au bureau du shérif et chez les Shipstat, j'ai été impressionné par ta force et ta volonté. Il n'était pas facile de te conditionner ou de te manipuler. Tu avais... du cran, on peut le dire.

— Tu es tombé amoureux de mon cran ?

Il sourit.

— En quelque sorte...

— Et tu n'as plus été capable de me faire la piqûre fatale ?

— Non.

— Tes supérieurs ne vont pas être contents.

— Ils peuvent aller au diable.

★

Deux nuits plus tard, dans une chambre de la résidence de l'ambassadeur des Etats-Unis, à Istanbul, Susan s'éveilla en hurlant.

Une femme de chambre, un agent des services de sécurité, l'ambassadeur et McGee arrivèrent aussitôt.

— Les membres du personnel, dit Susan en agrippant McGee. Il ne faut pas leur faire confiance.

— Personne ne ressemble à Harch, fit McGee sur un ton apaisant.

— Comment le saurais-je ? Je n'ai vu personne.

— Il est trois heures du matin, fit remarquer l'agent des services de sécurité.

— Il *faut* que je les voie.

L'ambassadeur l'observa et regarda tour à tour McGee et l'autre homme.

— Rassemblez le personnel.

Ni Harch ni Quince, ni Jellicoe ni Parker n'étaient employés par l'ambassadeur des Etats-Unis en Turquie.

— Je suis désolée, dit-elle. Je crains que cela ne se reproduise.

— Ça ne fait aucun doute, lui répondit McGee.

— Jusqu'à la fin de mes jours, peut-être ?

★

Une semaine plus tard, dans la suite d'un hôtel de Washington, Susan partagea pour la première fois le lit de McGee. Ce fut une réussite. Leurs corps se complétaient comme les pièces d'un puzzle. Ils s'assemblaient avec une souplesse et un synchronisme parfaits. Cette nuit-là, comme elle dormait nue à côté de Jeff McGee, Susan dormit d'un sommeil sans rêves, pour la première fois depuis son départ de Willawauk.

Science-fiction

Depuis 1970, cette collection est leader du genre en France. Elle a publié la plupart des grands classiques (Asimov, Van Vogt, Clarke, Dick, Vance, Simak) mais elle a aussi révélé de nombreux jeunes auteurs qui seront les écrivains de premier plan de demain (Tim Powers, Joan D. Vinge, Tanith Lee, Scott Baker, etc.). La S-F est reconnue aujourd'hui comme littérature à part entière, étudiée dans les écoles et les universités. Elle est véritablement la littérature de notre temps.

HOWARD Robert E.	Conan 1754★★★
	Conan le Cimmérien 1825★★★
Conan le barbare	Conan le flibustier 1891★★★
voir SPRAGUE DE CAMP	Conan le vagabond 1935★★★
KAYE Marvin	Lumière froide 1964★★★
KEYES Daniel	Des fleurs pour Algernon 427★★★
KING Stephen	Carrie 835★★★
	Shining 1197★★★★
	Danse macabre 1355★★★★
	Cujo 1590★★★★
	Christine 1866★★★★
KLEIN Gérard	Les seigneurs de la guerre 628★★
KOENIG Laird	Le disciple 1965★★★
KOONTZ Dean R.	Spectres 1963★★★★
LEM Stanislas	Le congrès de futurologie 1739★★
LÉOURIER Christian	L'homme qui tua l'hiver 1946★★
LEVIN Ira	Un bébé pour Rosemary 342★★★
	Un bonheur insoutenable 434★★★
LONGYEAR Barry B. & GERROLD David Enemy mine 1968★★★	
LOVECRAFT Howard P.	Dagon 459★★★★
McINTYRE Vonda N.	La colère de Khan (Star Trek II) 1396★★★
	Le serpent du rêve 1666★★★★
	La Promise 1892★★★
MARTIN George R.R.	Chanson pour Lya 1380★★★
MERRITT Abraham	Les habitants du mirage 557★★★
	La nef d'Ishtar 574★★
	Le visage dans l'abîme 886★★★
MONDOLONI Jacques	Je suis une herbe 1341★★★
MOORCOCK Michaël	Le chien de guerre 1877★★★
MORRIS Janet E.	La Grande Fornicatrice de Silistra 1245★★★
(L'ère des Fornicatrices)	L'ère des Fornicatrices 1328★★★★
	Le vent du chaos 1448★★★★
	Le trône de chair 1531★★★
NICHOLS Leigh	L'antre du tonnerre 1966★★★
PELOT Pierre	Les barreaux de l'Eden 728★★
	Parabellum tango 1048★★★
	Kid Jésus 1140★★★
	Nos armes sont de miel 1305★★★
POHL Frederik	La Grande Porte 1691★★★★
	Les pilotes de la Grande Porte 1814★★★★

Achevé d'imprimer sur les presses de l'imprimerie Brodard et Taupin
58, rue Jean Bleuzen, Vanves. Usine de La Flèche,
le 17 février 1986
1215-5 Dépôt légal février 1986. ISBN : 2 - 277 - 21966 - 5
Imprimé en France

1966
★ ★ ★

Editions J'ai Lu
27, rue Cassette, 75006 Paris
diffusion France et étranger : Flammarion